菊川德之助

受動の主人公は、可能か？

これまで語られなかった劇の主人公

演劇作品における受動的主人公は可能か？——
演劇の主人公は劇的行動者であった——
受動の主人公はドラマを創り得たか——
宗教的に生きた作家に受動的主人公は造形できたか？——
三好十郎、田中千禾夫、遠藤周作、木下順二らを中心にして、
受動的演劇は可能かを問う——

晩成書房

はじめに　これまでに語られなかった受動の主人公

古典的ドラマは、主人公が目的に向かって行動を開始するところから〈ドラマの開始〉があるようだ。目的に向かって行動するから、対象物にぶち当たって受難に遭遇する。受難（受苦）の経過を潜り抜けて、新しい発見や新たなる認識に到達するのが、古典的ドラマの成し遂げた素晴らしい戯曲形式である。現代も多くは、この形が継続、踏襲されている。主人公は行動を開始する。この行動こそ、積極的な能動的な、劇的な行動である。この主人公こそ〈劇的行動者〉である。常に成長・発展を伴う上昇志向の行動者である。この流れは、人間の成長の歴史と重なってくる。我々の身近な歴史から考えれば、例えば、日本の明治は、西欧に追いつけ、追い越せ、という上昇思考であった。

ただ、右肩上がりの成長の歴史が終焉を迎えたかに見える現代では、違った生き方、違った主人公が登場すべきではないか。確かに〈不条理演劇〉と言われる新しい演劇が、一九五〇年代に西欧に登場した。しかし、これらの主人公は、行動をしない人物であったし、世界も変容しない、不条理に満ちたものであった。そのような人間像や世界感覚は、一時期は人々にショキングな効果を与えたであろうが、やはり、人々は行動する人間像を相変わらず追い求めたのだ。

私は、消極的で受身的な人間であった。ドラマの主人公のような行動は、取れなかった。それでも一人前の人間の幸せを得たかったし、恋愛においても、女性にアタックしたかったが、それらも実現できず、それでも何か脱出する方向や道はないのかと問うてみた。演劇における人間像に何か変容できる要素はないのかとも問うてみた。

例えば、劇的行動者ではなく真逆の〈受身〉の人間が、受身の行動者、つまり、消極的な主人公が、物事を成立させていく局面や方策はないのであろうか。確かに、人間は生きて行く上で、能動的な方がよい。勝《まさ》っているというのか、積極的に行動することの方が情況を切り開き、成長・発展がある。ただ、受身的な行動であっても、スピードよく成長・発展はなされないが、時間をかけて、いつしか遂げていくというものなら、受身的人間でもできるのではないか。消極的で受身な人間は、行動的でなく受動的であるが、先ず切り開くのではなく、状況をまず受け入れて、困難を背負いきることで獲得していけるのではないかという発想が生まれたのである。

一九九八年に発行した『実践的演劇の世界』（昭和堂）の〈演劇の知〉という章のなかで、私は、受動性に想いを込めていることに触れている。いや、この時に深く気づいたと言ってもよいだろう。特に哲学者・中村雄二郎の言葉が印象的であった。

「演劇においてパッション＝パトスとドラマ＝行動とはどういう具合に結びついているのか（略）パトスには情念のほか、受動、受苦、受難という意味もあって、実にいろいろな方面への広がりがあるのです（略）バリ島の生活と文化が、死や悪や痛みなど、〈近代の知〉がひたすらただ排したものを、むしろ祀りあげることによって災いから免れるというやり方と結びついている。そこにあるのは、〈アクションの知〉ではなく〈パトスの知〉というべきものなのです。パフォーマンスというのは、ただ主体が一方的に対象に働きかけるアクションとはちがった、周囲からのさまざまな働きかけを受けながら、そうした受動に身をさらしつつ行動することだと思うのです。一口にいえば受動的行動ということになります」

中村雄二郎『人間・言葉・ドラマ』（青土社）

演劇作品には、〈劇的行動者〉が適していることは理解している。ドラマは、葛藤であり、対立であるとよく言われる。葛藤や対立がないドラマなど魅力がない。いや、ドラマにならないのである。それはある意味で確かなことだろうが、現代では、此処でのドラマにならない消極的な主人公の視点を少し違って探究しようとしている。つまり、主人公は、状況に対峙するという従来の劇的なドラマでなく、状況に受動的な対し方をする。そしてまず状況を受け入れる、受容するのである。受容の主人公を持つ、パトスのドラマである。現代が、たやすく成長・発展しない世の中であれば、行動的、能動的なものへの一辺倒の評価をせずに、〈アクションの知〉ではなく〈パトスの知〉へ意識を移動させてもよいのではないか。

観客は、劇場へ喧嘩に出かけるわけではない。劇場に入って、まず、舞台に示される世界を一旦受け入れるのである。その後、ドラマの登場人物と同じ視点で、あるいは批判的に見ながら、劇の世界を受け入れていくのである。このような創作方法をとる作家には、宗教的な考えを持つ作家が日本では多いように思われた。神という絶対者に対峙するからであろう。単純に言えば宗教劇ということになるのだが、宗教劇といっても、宗教そのものを描く宗教劇ではない。宗教とは何か、宗教それ自体を問うていく宗教劇はもちろんあろうが、信仰することによって（信仰を持たないこともある）、宗教に内包された考え方によって、人間のことを思考していく宗教心を持った、宗教〈的〉な劇と言ったらよいであろうか。あくまで、人間のありようを思考していく哲学である。ここには、価値基準の変容を迫るものが、その迫る力業が要求されはするだろう。

演劇構造には、本来、受動（受容）的な要素が入りこんでいる。にもかかわらず、演劇の魅力は、ドラマティック、即ち〈劇的〉ということであった。ドラマ（劇的）の魅力を解析するために、今から二千数百年まえの戯曲の原点とも言えるギリシャ悲劇を意識的に見つめるつもりであるが、そこに見えるものは意外や、主人公の受動性であり、受動の演劇を発見することになろうと思われる（このことは、第三章「番外」のところで叙述するが）。そして、今こそ、現代劇を考える必要性を、そしてそれは、受動の演劇は可能か、という課題を追求することだと思われる。これを思索している頃、イギリス現代劇を見ることによる体験があった。それが、受動的演劇感覚へ深く入ることになる出発点であったのである。これまでに語られなかった受動の主人公を語り綴ることにする。

受動の主人公は、可能か？——これまで語られなかった劇の主人公■菊川徳之助■目次

序章　受動のドラマへの入り口

受動的主人公への起点——イギリスの劇作家、ウェスカー、ボルトとの出会い

(1) はじめに

ドラマ(=悲劇)の主人公というものは、王や王子、王女、または英雄であることが多くであった。そしてそれは、劇的な行動をなす人間であった。例えば、ギリシャ悲劇・ソホクレスの「オイディプス王」、エリザベス朝演劇・シェイクスピアの「ハムレット」、フランス古典劇・ラシーヌの「フエードル」に代表されるように、オイディプスは王あり、ハムレットは王子であり、フエードルは王女である。英雄的行動を為す人間像である。近代になって市民劇のように、市井の人間が主人公になる演劇が登場するが、それでも人物の行動におけるリズムの底流にあるものは劇的な行動である。喜劇においては、そうでない人間が登場するが、それらの人間は、悲劇のような感動を与える人間像ではなく、馬鹿にされたり、からかわれたり、見る者に批判的に見られる人物である。

ドラマの世界において、劇的行動者ではないが、劇の主人公になれる人間像というものはないのか。無論、いろいろな時代にいろいろな演劇があるから、多種多様の主人公というものがあって当然である。しかし、悲劇における主人公に最も相応しい人間像は、行動的であって積極的に生きようとする劇的な人間像である。世界は、成長、発展を獲得しようとする劇的行動者、すなわち、上昇志向の人間によって、飢えや不便さから脱出し、より幸せな社会を築き上げて来たのである。だが、二一世紀を迎えて、社会の歩みが、必ずしも、社会が拡大する成長、発展が良いという保証を失ってきたのである。例えば、銀行の不良債権は、銀行の成長、発展という拡大方針のために、逆に破綻を招くといった状況を迎えたのである。人間が成長、発展するという考え

は大切な思考である。しかし、常に変革を求め能動的な人間像の中に、何か抜け落ちて行ったものがあったのではないか。このことから、常に上昇志向（常勝思考）の人間でない人間像を求めるという問題が浮かんで来た。この人間像の問題から、私はある時期から、〈受動的人間像〉というものを追い求め出した。しかし、捉えようとした人間像を表現するには、いくつかの困難が生じた。一つは、一言で表現するキーワードの未発見である。〈受動的主人公〉は、〈能動的主人公〉に対しては、能動に対する単なる受身、消極的の意味しかなさない。それ故、〈受容〉の主人公という言語を使用してみたいが、〈受容〉という言語も、通常使われる意味は、「西洋思想の受容の歴史」といったように、ただ受け入れの意味にとどまってしまうのである。〈パトスの主人公〉という言語を使うこともできるが、〈パトス〉なる言語は、情熱、情念、激情などの意味があり、ここで表現しようとするものと反対の意味にとられてしまう危険性がある。

この受動的演劇に触れた人は比較的少ないが、日本では、京都大学のアイルランド演劇研究者である山本修二氏の「パトスの悲劇」という項目と、哲学者の中村雄二郎氏の「演劇的知」にふれられている。

パトスが主観的に「情緒」を意味するか客観的に「働きかけられたこと」を意味するか、俄かに決定し難いが、これに関して或種の暗示を投ずると思われるのは、ある訳書には（例えば、セインツベリ、バックレイ等）パトスが passion と訳されている現実である。いうまでもなく、英語の passion には、主観的（「激情」）、客観的（「受難」）両様の意義があり、その淵源を辿れば、拉典語 passion （passive という言葉とも関係深し）に出で、しかも牛津新英字書に従えば、この拉典語は希臘語のパトスの訳語として使用されたものであるからその由緒から言うも、又主客両様の意味を包含する意味から言っても、パトスを passion と英訳する事は、極めて当を得たものである。（1）

山本修二はパトス（pathos）が両様の言葉内容を持っていることに注目しているが、パトスを「働きかけられること」あるいは「受動的動作」という言葉で示している。「働きかけられること」という表現は、一つの側面をよく表しているが、この言葉プラス「受動的動作」が加わると、ある種の意味合いが出るところもある。中村雄二郎は近代のアクションの知ではなく、パトスの知を主張する。

パトスには情念のほか、受動、受苦、受難という意味もあって、実にいろいろな方面への広がりがあるのです。（略）バリ島の生活と文化が、死や悪や痛みなど、〈近代の知〉がひたすらただ排したものを、むしろ祀りあげることによって災いから免れるというやり方と結びついている。そこにあるのは、〈アクションの知〉ではなく、〈パトスの知〉というべきものなのです。パフォーマンスというものは、ただ主体が一方的に対象に働きかけるアクションとはちがって、周囲からさまざまな働きかけを受けながら、そうした受動に身をさらしつつ行動することだと思うのです。一口にいえば受動的行動ということになります。(2)

中村はパトスを「受動的行動」という言葉を使って示している。もう一つ、「受動の能動」という言葉を用いている。この「受動の能動」という言葉がある意味では、ここで使用する受動的主人公の行動の意味内容を語れる要素を持ったものに近づいていると思える。このパトスの知の中には、そして受動的と表した中には、単なる受け身ではなく、勿論受身的な行為の姿勢があって、その中に能動的な行動が内包されて来るという、複層的な内容を持っているものなのである。人間の行動は行動することによって、対象物に出会うから、行動を阻まれる。よって、受難に出会うことになる。しかも、この受難は、先の幸せを保障するものは、どこにもない。むしろ、耐え忍んで行く苦しいものである。そして肝心なことは、受難を背負いきることである。その結果、「受動の能動」に質的転換を為すことが生まれるのであろう。それ故に、一言の言語表現だけでは不十分さが付いて廻ることになる。この概念規定、そして内容をさらに明確にするために、受動的主人公の課題を追い求めていかなければならないだろう。

受動の主人公と称した人間像への関心——山本、中村両氏の文章に出合う前に、感じた受容（受動）の人間像への、出発点・原点を見つめ直すことによって、そして、スタートラインの原像を明らかにすることによって、この人間像への考察を深め、指し示す言語内容の充実をはかる道しるべを探っていくことにした。

(2) アーノルド・ウェスカーの「大麦入りのチキンスープ」

最初の出会い、それは、一九六〇年代のイギリス演劇であり、二人の劇作家の作品であった。〝怒れる若者〟と言われたジョン・オズボーン、ハロルド・ピンター、ジョン・アーデンなど若い劇作家として登場した人々の一人であった、アーノルド・ウェスカーという劇作家の作品であり、もう一人は、怒れる若者たちより年上であるが、後発で、地味でもあるロバート・ボルトという劇作家の作品であった。この二人の劇作家の登場人物に、それまでの劇的な演劇の上昇志向の登場人物とは、大きく違った造形を感じて衝撃を受けた。ウェスカーの「大麦入りのチキンスープ」という舞台を見た時、一人の登場人物と、一つのせりふにハッとさせられ、見入り聞き入った。「調理場」という作品がウェスカーの処女作であるが、その後、「大麦入りのチキンスープ」「根っこ」「ぼくはエルサレムのことを話しているんだ」という三部作が生れている。「シェイクスピアにとってはこの世界が舞台であったろう。しかし私にとってはそれは調理場なのだ」と言って、調理場を劇の世界に選び取った作品が「調理場」である。コックであるペーターという青年が調理場で息苦しく悶え、苦悩をぶつけ、夢をぶつけ廻す。そして、経営者（マラゴン）にはこの若者の姿が捉えられないのである。

マラゴン　一体これ以上、君は何がほしいというのかね。食べたいものを食べさせて多少の盗みも許している。本当にこれ以上、私に何をしろと君はいうのかね。(3)

雇い主マラゴンは、仕事を与え給料もやっているのに、何が不満なのか、ペーターという若者を理解できない。まさに怒れる若者の作品であるが、その後の三部作は、社会変革を願って闘う人々の希望や挫折を描いている。「大麦入りのチキンスープ」は、一九三六年から一九五六年を背景として――スターリン批判、大戦、そして、ハンガリー動乱など、大きく揺れた時代――労働者たちの二〇年間に渡る生活の移り変わる姿を中心に、カーン一家の妻であり母親であり闘争家であるサラ・カーンを主人公に据えた作品である。そして、主人公サラの傍らに夫と息子、娘がいろんな側面を見せて配置されている。さらに、闘う労働者仲間が福祉国家体制の中の小市民的な幸せに沈んで行く姿も合わせて描いている。

印象に深く残ったという人物は、主人公の、闘う女性・サラ・カーンではなかった。勿論、サラは主人公の位置にいるから印象に残る人間にはちがいない存在である。しかし、それ以上に心を捉えた人物がいた。その登場人物とは、一家の主人、サラの夫・ハリイ・カーンという男の姿であった。彼は気が弱く、臆病で、怠惰な人間像になっている。この夫ハリイとは対照的に、妻のサラは情熱的で、率先して反対デモに出て行き、夫が運動に加わることを促し、夫の怠惰な態度を責める。闘争心を失わない母親（サラ）と、闘う勇気を持たない父親（ハリイ）との間で悩み揺れる息子（ロニィ）、新たな活路を見出そうとする娘（アダ）、そしてカーン一家と接する労働者たちの移り変わりが描かれる。

ファシストたちの行進が始まると、労働者たちはデモに出かける。皆に誘われるハリイ。だが……

モンティ　（ハリイに）こんにちは。デモ隊に向かう覚悟は出来たかい？
ハリイ　万全の気がまえさ、トロイの人民みたいな気持だよ！
サラ　デモには行きゃしないわよ、この人。映画館にでももぐってるわよ。(4)

いよいよデモにみんなが出発する。ハリイは、〝うん、行くよ、行くよ。先に行ってくれ。元気でな同志、俺も今行くぞ〟と威勢よく言うが、彼はなかなか出かけない。サラはハリイに、赤旗を渡して〝さあ、これを振るのよ！　役に立つことをするのよ！〟と言って、デモに出かける。ハリイは、〝おい、サラ、待ってくれよ！〟と言って、妻の後を追う。ところが、ハリイはデモに少し参加するが、すぐに母親の家に逃げ込み、一日中、本を読んでいたらしい。おまけに、ハリイは妻サラの財布からお金を盗むこともしていたようだ。サラは、そういう夫の弱さや嘘で逃げる生活態度を心配する。サラは夫に変わってもらいたいと思っている。夫を変革しようとしているのだ。しかし、ハリイは妻の期待に応えられず、その後、卒中で倒れ、病気を自ら望んでいるかのような人間にどんどんなって行く。ロニィは、母の強さを見、父の弱さを見、夫婦の喧嘩を見て育つ。彼は、希望に満ちた青年で、社会主義の小説家になろうとしている。彼は情熱的に生きて、労働者階級の芸術家になることを、〈物を作る仕事〉につくことを夢みている。だが、彼に訪れた現実は、物を作る仕事に違いなかったが、コックとして働くことであった。親たちのかつての仲間であった労働者たちが、小市民的な幸せに満足して行く姿を見て、ロニィは情熱的な面影をなくし絶望して行く。そして、ロニィ個人の中にも不安が充満している。ロニィは父ハリイに言う。

ロニィ　パパを見ていると僕はたまらなくなるんだ。嘘ばっかりついているパパは嫌いだよ、僕は。パパ、の弱さを見ていると恐ろしくなるんだ。――パパ、そんなこと考えたことないだろう。僕はパパを見ていると、自分の姿を見ているような気がして……・だから、で、……恐くなるんだよ。(5)

ロニィは、弱い父親ハリイに自分が似ていることを、父を愛しながら、それへの恐怖を感じている。父ハリイが言う。

ハリイ　俺は――この通りさ、もう変わりっこないさ。お前だって、お前のお袋にしたって、俺を変えるわけにゃいかないよ。もう遅すぎるさ、今となっちゃ。も年だよ、俺は。……ロニィ、人間なんて、変えられるもんじゃないぜ。ただ愛してやりゃいいんだよ、その愛を受けいれてくれるのを待つだけさ……。（6）

父ハリイは、〝人間なんて、変えられるもんじゃないぜ。ただ愛してやりゃいいんだよ〟と言う。人間は変えられるものでない。ただ愛するだけだと。そして、〝その愛を受けいれてくれるのを待つだけ〟というのである。このハリイの言葉にはある種強烈なものがある。愛は本来、相手を素敵にする、変革する情熱に溢れたものである。それなのに、ハリイは、ただ愛するだけ、相手がそれを受け入れてくれるのを待つだけ、というのだ。ここには、相手を素敵にするという能動的な愛ではないものがある。相手を受け入れてくれるという受動（受容）の愛が垣間見える。

一方、労働者たちは、時代の、社会の変革を求めて闘っている。その中でも、サラはよりよい生活への、そしてよりよい人間への成長・発展を願う人間である。夫に対しても、子どもに対しても、闘うことを求める。サラは紛れもなく劇の主人公である。これまでの劇の主人公の形を備えている。

ところが、「大麦入りのチキンスープ」を見て、衝撃を受けたのは、闘わない、弱虫の、ハリイ・カーンという人間であった。そして、彼が息子に言った言葉――〝人間なんて、変えられるもんじゃないぜ。ただ愛してやりゃいいんだよ〟という台詞であった。何故、このような人物と、このような台詞に引きつけられたのか。作者ウェスカーは、弱いハリイを描く一方で、常に変革を求める逞しいサラを描いている。かつての主人公の位置にいるのは、サラである。が、ハリイの形象に作者の深い想いが滲み出ているように思われる。

このドラマのラストシーンには、息子・ロニィが登場する。ロニィと母・サラとの長い対話・せりふがある。

サラ　（略）私のこれまでの生活は、あの人と闘うことだった。何もしようとしないあの人と。今のパパを見てごらんなさい。パパは生きようという気もない（略）あの人自分の病気と戦おうともしないんですもの――あの人、しわくちゃな服のまま。パパはどうしようっていう気もないのよ。私、だから戦ってきたのよ、どうする気もないパパと。私は今までどうする気もない人たちなら誰とでも戦ったわ。（略）

サラ　（略）（彼＝ロニィを抱きしめる、そして呻くように）なんとかしようしなくちゃ駄目よ。なんとかしようとしなくちゃ、でないとあんたは死んでしまうだけよ。

ロニィ　僕は、――僕には出来ない。駄目だよ、今は、あまり問題が大きすぎる、まだ駄目だよ――なんとかしようにも、あまり、大きすぎるんだ、問題が、僕には、僕には……

サラ　死ぬだけよ、あんた死ぬだけよ――なんとかしようとしなければ、あんた死ぬだけよ。（7）

サラはロニィの背後から叫んだ。「彼はゆっくりと母親をふり向く」という卜書でこの劇は終わっている。サラは、ロニィにそのままでいることを許さない。が、ロニィには、問題が残され、課題が残されたままでいるかのようだ。この問題の残し方の中に、再びあのハリイの姿が思い起こされる。ロニィは、サラの方へ向くのか、ハリイの方へ向くのか、二人の人間像が浮かび上がってくる。主人公サラに対峙する人物としてのハリイが、劇全体としては副次的位置にいるにもかかわらず、主人公と同等の印象を持つことになる。そしてそこに、何か新しいものが感じられたのである。その新しいものが、何であったかということを出発点にして、劇における新たな主人公の像を追いはじめた。

出発点となったウェスカー作品の基底部分は、かつての、多くの劇の主人公が、歴史の上で大きな動きをした人物、英雄や、つまり、劇的な行動をする人間像が中心であったにもかかわらず、この作品では、イギリスでの労働者の家庭生活――労働者としての闘いはするものの――日常生活を生きる人々を描いている。労働者階級の人々が、少しは裕福になって行く福祉社会を描き、同時に、ほんの少しの貯金が出来、テレビが買えるという少しの豊かさが労働者階級の人々を真の闘いから遠ざける姿を描いている。そして、その中で、闘い続けようとするサラという女性は、常により良きものを求める・変革を求める人間であり――劇の主人公が劇的な行動者・積極的に生きる人間であるならば——サラは主人公の姿を持っている。この意味においては、夫・ハリイ・カーンという男は、脇役の位置にいるべき人物である。しかし、作者ウェスカーは、この作品では、ハリイを従来の脇役の位置にとどまらせてはいないようだ。ハリイ・カーンは、観客に十分に印象に残る人物描写になっている。勿論、ハリイは、サラのような劇的行動者ではない。積極的行動から常に逃げようとしている人間である。ハリイなる人物は、弱い人間である。弱者なのである。とるにたりない、くだらない人間ということが出来る。とるにたりない、くだらない人間は、掃いて捨てられてもよい人間と言える。だが、そのような一面を持ちながら、「大麦入りのチキンスープ」なる作品のハリイは、主人公のように浮かび上がって来たのである。そしてまた、人間を変えて行くことが、つまり、相手をよりよくし、成長を願い、発展を求めて行くことが、愛情であるならば、「大麦入りのチキンスープ」でのハリイの台詞——成長・発展して行かない台詞——であるにもかかわらず、既成概念を突き破って、心に響いて来たのも不思議であった。ただハリイなる人物は、たんなる弱い人間、なまけものであり、そのようなふる舞いの人物にすぎないとも言える。だがしかし、例えば、その振る舞いの中に、能動的な愛にはない、相手を受容（受け入れる）愛があるとすれば、この受動的態度には、深い意味が出てくる。例えば、能動の愛は、恋人同士を高め合う強い愛があるが、高め合うことが停止した時、二人は離れることが生じる。しかし、受容する受動の愛は、相手を受け入れる。相手の好いところも悪いところも丸ごと受け入れるため、愛が持続する。サラの積極性は重要な態度であるが、弱さを持ったロニィには、父親ハリイの受け入れの愛が必要なのである。ウェスカーはハリイを主人公にはしなかった。しかし、主人公に値する人間像の位置を見据えていたのは確かである。

＊**アーノルド・ウェスカー**（一九三二〜二〇一六年）　イギリスの劇作家。「大麦入りのチキンスープ」「根っこ」「ぼくはエルサレムのことを話しているのだ」で労働者一家の生活と社会意識の移り変わりを描いた〈怒れる若者たち〉と命名された世代。イギリスでは労働組合大会で、四十二番目に採択された〈センター42〉の運動、また、ウェスカー’68など日本で

も多く上演された。

(3) ロバート・ボルトの「花咲くチェリー」

ウェスカーと同じイギリスの劇作家であるロバート・ボルトに「花咲くチェリー」という作品がある。保険外交員であるジム・チェリーを中心としたチェリー一家の悲劇的な物語である。ジム・チェリーは、人は良いが無気力で酒好きの、能動的な行動の出来ない弱い人間なのである。しかし、この弱い男が、この作品では主人公になっているのだ。

保険外交員であるチェリーは、ある日、会社を首になる。彼はそれを妻に言えず、息子と娘にも隠している。毎日会社へ出勤するふりをして家を出で行く。チェリーは、常日頃果樹園をやりたいという〈夢〉を持っている。関係する雑誌をいろいろ取り寄せ、夢を膨らませている。妻のイゾベルは二人の子どもを育て、家庭を守る妻であるが、夫の現実に足をつけていない生活態度に不安をもっている。父親に似た優しい息子トムは、エリオットの詩を愛読し、やっと妹の友達とデートの機会を掴むが、母親の財布からお金を抜き取ってしまう行為をする青年でもある。妹のジュディは、デザイン学校で奨学金を貰えそうな能力のある学生のようであるが、能力だけが避難場所といったある意味で老成した女の子。派手好みの友達キャロルを家に連れてくる。キャロルはジュディの才能とお金を当てにした友達のようだ。キャロルはトムの心を落ち着かせず、父親のチェリーにも年配の男を楽しむように近づき、力の強い男の話をしたチェリーに、鉄の火かき棒を曲げさせる。調子に乗ったチェリーは、挑戦するが腰に来て駄目である。お礼と言ってキャロルがしたキッスが、いつの間にか、チェリーが彼女にキッスしたことに変わってしまいます。結局は奨学金も入らなかったジュディもキャロルに逃げられる。キャロルはこの家庭を揺さぶってしまう存在になる女の子である。チェリーは、不安いっぱいに毎日をジンの入ったチェリー酒でまぎらわすが、お金に困って、ついに妻の財布からお金を抜き取ってしまう。妻はまた息子が盗んだと思い、トムを責める。横目で息子トムの責められるのを聞いていながら、チェリーは本当のことを言えない。しかし、妻イゾベルがお金に〈しるし〉を付けておいたために、夫が犯人だとわかってしまう。そして、チェリーが会社を首になっていたことも知れる。これではいけないと思い、イゾベルは決心する。夫の夢をかなえようと。家を売って、果樹園を買う決心をする。不動産屋まで行って来た妻に促されるが、チェリーは、怯む。チェリーにとっては、いままで夢を追い続けてきたその夢が実現しそうになる、のにである。その時、かつての同僚が保険外交の仕事を持って来る。それはいたって困難な悪しき場所なのであるが、かつてその同僚が廻っていた困難な地域である。が、チェリーは保険代理店の方へ耳を傾けようとする。

イゾベル　あなた、お受けするつもり、そのお話し?

チェリー　(この質問の中に全く新しい事を彼女が言い始める気配を感じて) うん、うん、だって、おまえ、こりゃ見のがす手はないよ。

イゾベル　(立ちあがり) で、果樹園は?

チェリー　ちょっと待ったほうがいいと思うんだけどなあ。

イゾベル　(全く最後的な口調で) わかったわ。

チェリー　来年か、でなければその次くらいに――

イゾベル　(振り返り) ああ、もういやよ。いや、いや、いや、いや! (8)

チェリーは、イゾベルの突きつける提案を受け入れられない。尻込みするのである。夢は夢であってこそ、チェリーには安らかなのである。夢が現実化されようとするとき、チェリーは目の前の小さな生活の安定を求める。もはや、その生活の安定が破綻している瞬間なのに、である。提起されたとき、チェリーの弱さ、臆病さが出てしまう。ここでの弱さは、受動的人間が持つ、受け入れるところの受動的な行動、受容する力はない。

チェリー　（別なことに気づいて）よし、買おうよ、果樹園を、なあ、ベル！
イゾベル　（きびしく）わたし、いらないわ、果樹園なんて！　わたしのほしいのは――（涙をおさえる）あなたもいらないのね、果樹園が！　あなたの夢――もうあなたはその夢さえ持っていない！
チェリー　（絶望が彼を襲う）ごめんよ！　ベル、ごめんよ！
イゾベル　あなたは、わたしが出ていこうとしていることさえ本気にしていない！　そうでしょ！　わたしがあなたに憐みを感じるのを待っているんだわ――（鞄を取り上げる）
（略）
イゾベル　どいてちょうだい！（庭に出て、振り向く、静かな憤りを込めて）あなたの夢が、ほんとうの夢だったら――
チェリー　ベル！
イゾベル　あなたがほんとうに、りんご園をほしがったんだったら。
チェリー　ベル！
イゾベル　でも、あなたにはそんな夢さえなかったのよ！（去る）**(9)**

イゾベルは夫の夢でしかなかったことを感じ、絶望して家を出て行く。チェリーは、太い火かき棒を曲げて見せるから、待ってくれと叫ぶ。彼は必至で棒を曲げ、倒れて動かなくなってしまう。彼の周辺、舞台一面にリンゴの花が咲きみだれて、この劇は終わる。ジム・チェリーなる男は、いつも力があった男の話や大きな夢物語をして、勇ましいことを言っている。しかし、現実的には、無力な弱い男、くだらない男である。作者ボルトは、チェリーが会社を首に、妻のお金を盗んだことが分かった後の彼のせりふに、彼の居直りとも言える態度を書いている。

チェリー　よせよ！　いいかい、おまえにしろ、トムにしろ、ジュディにしろ——だれにしろ、もし今日の事でこのおれが、このさき一生へいこら頭を下げて暮らすだろうなんて思ってたらそりゃ大まちがいだぜ！　失業してだめだからまあまあなんてわけで、軽蔑しながら、許してやろうなんて思ってるんだったら、もう一度考え直したほうがいいぜ！　断っておくが、おれはそんな事にゃがまんならない性質だからな！(10)

周囲の人間が、この言葉を素直に受け取った時、彼は逆に縮んでしまう。その姿には、作者がチェリーという人間の小ささを表現していることが表われている。彼は首になったという事実を受け入れる——自分の現実を受容することよってしか、現実を抜け出られないだろうに。夢であるリンゴ園という目的にチェリーは、突き進むことができない。オーソドクスな演劇の主人公が能動的に目的に向かって生きるように、彼は行動できない。全くだめな、弱弱しい人間である。作者ボルトは、このような人間をはっきりと劇の主人公にしているのである。最後に、チェリーは、太い火かき棒を曲げるという——死と引き換えにではあるが——行動らしい行動をはじめて行なう。しかし、この行動は妻にも子どもたちにとっても、なんの意味もなさない、とどかない行動である。むしろ、彼の滑稽さを表わすような行為である。弱さ故の、能動的行動の出来ない人間故の、悲しい物語、悲しむべき人間像が生まれている。そして、ここから、そのような人間はどのようにすれば、人間として生きることを獲得出来るのかという問題意識も生まれるが、チェリーのような能動的でない、受身的人間が劇の主人公となる魅力は何であろうか。そこにどんな問題が浮かび上ってくるか。オーソドクスな演劇の主人公におけるような能動的行動——劇的行動者でない人間であるにもかかわらず、チェリーに注目した最も大きな要因は何であったのであろうか。

チェリーは人が好いが、弱い人間、能力のない人間である。ウェスカー作品のハリイのように受動的な愛に目覚めている人間でもない。ここには、弱い男を見つめる作者の眼があり、客席では地に足がつかない、だらしのない男に、同情し、自分の弱さと重ね合わせて見る観客がいることになる。強い人間には用のない話であろう。だが、競争社会の中で埋没してしまう弱い人間は存在する。かれらの居所はどこにあるのか。劇の世界においても、上昇志向の劇的に生きられる人間には居場所はあるが、無力な、弱弱しい人間を支えるものは何か。この作品には答えはないが、弱い男の世界を描くことによって、作者は、そのことを思考するキッカケ、チャンスを与えようとしているように思われた。ここを起点（基点）にして、受動的（受容の）人間像を見出す段階に登って行けるように思える。

＊ロバート・ボルト（一九二四〜一九九五年）マンチェスター近くの生まれ。保険会社務めや教師から劇作家へ。映画のシナリオ――「アラビアのロレンス」「ドクトル・ジバコ」などのヒット作家。

（4）日本で演出した、演出家木村光一の新感覚

ウェスカーの「大麦入りのチキンスープ」とボルトの「花咲くチェリー」の二作品共、翻訳し、演出した演出家がいる。木村光一という（当時文学座の）演出家である。木村は、「大麦入りのチキンスープ」のハリイ・カーンと「花咲くチェリー」のジム・チェリーの弱い人間に注目した人である。ウェスカーの「調理場」が初演出であり、ナイーブな演出の中に鋭さを持ち、厳しい中に穏やかなものを秘めた、繊細な感覚を持った、それまでの新劇の演出家には珍しいタイプの演出家の登場であった。新劇の演出家には、社会科学の方法で分析することが多くあった。木村は人間を見つめ、傷つきやすい人間の心を捉えた。私はこの木村光一という演出家の感覚に注目した。無力な、弱々しい人間を見つめる眼が、受動的主人公を見つめる眼と共通するものを感じたからである。

新人ながら大抜擢されたのが、テネシー・ウイリアムズの「欲望という名の電車」の再演の舞台の演出であっ

た。杉村春子演じるブランチは、現実社会に耐えられない犠牲者、つまりは悲劇の主人公として扱われたり、優雅で洗練されたブランチの世界と粗野で野性的なスタンレーの世界の対立として描かれたりして来た。だが、木村演出は……

この「欲望という名の電車」という作品は僕は対立のドラマだと思っていない。一見強烈なドラマトゥルギーと、ブランチとスタンレーという極端に対照的な登場人物に惑わされて、優雅なものと粗野なものとの対立というようにこの芝居をとらえることは誤りだと思う。ブランチ・デュボワという女性をこの現実の猥雑と喧騒に耐えられない、いわば今日の文明社会の犠牲者と見なしたり、スタンレーの野生的エネルギーを肯定的にみたりすることも危険なことであろう。憎しみも、愛と同様、時には人を結びつけるもので、ブランチとスタンレーの憎しみ合いにしても、二人はステラを中心に葛藤をくりひろげるものの、お互いに心の奥底で、無意識に空しさを感じとって、そこを埋めようと相手から何物かを奪い合おうとしているのだ。(11)

木村は、ブランチを主人公として来たこの劇を、ブランチとスタンレーも憎しみ合いながら、お互いに傷つき、どこかで傷を舐め合おうとする二人のドラマにしている。また、人間社会の奥深いところで気の遠くなるような人間の孤独から逃れようと藻掻《もが》き、そのために人を愛し、または人を憎む、あるいはそのふりをする、と木村は捉える。そして、木村はお互いが弱さを持った人間としての関係、ありようを、繊細な感覚で見つめる。歴史の中で蠢く人間を社会科学の方法で分析する演出家とは違って、木村演出は、人間の魂、傷つきやすい魂の奥深いところまで神経をとどかせて、心優しく、しかし、あるところでは冷徹に人間を舞台に描き出す。

その後に演出されたウェスカーとボルトの作品の弱き人間を描いた舞台もまた、傷つきやすい人間の、弱く、だらしない、そのような人間でも愛すべきものであるという木村演出の姿が見えた。ウェスカー「大麦入りのチキンスープ」も、ボルトの「花咲くチェリー」も、筆者が舞台を最初に見た時の演出者は木村光一ではなかった——演出は長岡輝子。両作品とも——木村は作品を提供した翻訳者であった。木村演出は再演の舞台であった。初演の時は、戯曲（作品内容）から強い印象を受けた。再演になって演出からも人間のありようを感じさせたくれた。例えば、サラの夫ハリイがデモへ行くが、すぐにお袋の家に隠れてしまう。そのことでサラと夫婦喧嘩になるシーンである。ハリイが家に先に帰って来ている。そして、サラがデモから帰って来る。みんなも来ている。

【サラはコートを脱ぎ、壁にかける。彼女はこの間、刺すように鋭い眼差しでハリイをみつめているが、彼もそれから逃れようと懸命だ。彼女はテーブルの上のものを少し片付けてから自分の紅茶の茶碗をとりに出ていく。ハリイを見つめながら、テーブルの側に坐り、ゆっくりと紅茶をかきまぜる】

サラ　私を馬鹿だと思ってるのね？

【ハリイは、坐り心地悪そうに身を動かす。何も答えない。サラは彼を見つめる】

サラ　私が何も知らないと思って！　よかったわね。（間）見てよ、この人！　家の人よ！　これでも！　何も感じない！　（間）ねえ、ハリイ、何故私の顔を見ないの？　何故黙ったままなの？　あんたの妻なのよ、私。自分の女房とぐらい、話合うのは別におかしくないでしょ。

ハリイ　（やっと）何を言わしたいんだよ、この俺に？

サラ　それを、私が言わなくちゃいけないの？　自分でわからないの、それが！　（間）ずるがしこいわね！　まったくずるがしこいわ！

ハリイ　そう、そう、どうせずるがしこいさ、俺は。(12)

喧嘩の台詞が続くが、このシーンの演出は、サラがハリイを怒り、ハリイが精一杯の抵抗を示す台詞で成立する。俳優も喧嘩のせりふを巧みに感情を込めて発しようとする。つまり、喧嘩の場面を喧嘩の台詞で成り立たせるのである。だが、木村演出は台詞の前のト書を重視しているようだ。二人が喧嘩に入る前の状態、心のありようを大切にしていた。勿論、作者がト書にその状態を書いているのであるから、このト書に従えば、木村でなくても他の演出家でも、喧嘩台詞の前の状態を大事にする演出者はいる。だが、多くの演出者は、ト書にある〈鋭い眼差しでハリイをみつめている〉、〈彼もそれから逃れようとする〉というト書を重視して、俳優にこの部分を念入りに演じさせる。これらのト書は喧嘩に結びつく直接行動である。俳優にこのような演技を重視させるのは、ト書から当然である。しかし、木村演出は、少し違った箇所を重視していた。それは、サラがテーブルを片付けたり、紅茶茶碗を持って来て紅茶をかきまぜたりする〈音〉であった。微妙に苛立った紅茶茶碗の軋む音、心のありようによって出てくる音、それらの音がお互いの人間を苛立たせるのである。喧嘩の台詞は、そのような前哨戦があってこそ、爆発する言葉なのである。これは、一見細部にこだわりすぎると見られるかもしれないが、こだわりの細部ではなく、人間の置かれている状態をよく見据えていく、そして、それが、重要な表現箇所に繋がって行く、という視点を持ったこだわりなのである。木村演出の再演の舞台で、ウェスカーとボルトの作品における弱い人間の造形と問題点への認識はさらに深められた。

ウェスカー、ボルトそして木村演出の舞台から転送されて来たものは、オーソドクスなドラマの主人公にあった能動的に行動し、常に成長、発展を望まれる上昇志向の人間像ではなく、劇的な行動ではないが、そして、ぶ様な行為を見せる人間像であるが、上昇志向の人間像にはない、上昇志向の人間とは違った人間の姿を見せるものとして、眼に飛び込んで来たのである。能動的、行動的、積極的といった身振りが是とされ、受動的、受身的、消極的といったものはマイナス要因と解されて来た。しかし、目の前に起こってくる状況をまず受け入れて思考する。あるいは、まずものごとと共存・共生して、そして行動するといった思考が必要ではないかと思われことが心に強く入って来た。「大麦入り」のハリイ、「花咲く」のチェリーから見えたものは、強者ではなく、弱い人間の生き方であったが、弱者であるところの人間の個人の問題ではなく、これまで世界を切り開いてきた能動的な生き方が落としてきたところのものを見出し、あるいは、強者にはなかった生き方の探索でもあった。ただ、ハリイやチェリーは、まだ弱い者を弱い者として描いたものである。受容する主人公の芽のようなものはあるが、それが充分に全面に描かれたものではなかった。その意味ではこの二作品は、受動的主人公を見て行く起点であった。そもそも劇的な上昇志向の演劇にも、ドラマの弁証法的展開過程には、〈目的、受難、認識〉というキーワードで表現されるように、主人公は目的に向かって行動を開始し、行動することによって、対象物と向かい合い（対立、葛藤）、そのために受難に合う。受難を通過することによって、主人公は新しい認識に到達する。オーソドクスの演劇においても、人物は〈受難〉に遭遇せざるを得ないのである。ただし、劇的な行動者である主人公は〈劇的〉に受難に向かい合う。受動的主人公は、受難に対して対立的に向かい合うのではない。対象物を受け入れるところからが出発点である。苦しい状況と対立するのではなく、苦しい状況を受け入れるか、苦しい状況と共に生きることをまず持続させるのである。病気になっても、すぐさま治そうとするのではなく、病気と共に生きるという発想に立つのである。勿論、病気などは、直ぐ治ってくれた方がよい。しかし、病気は簡単に治らないし、なくならないことは、現代の病院なり医者の世界が示している。病気をすぐに治そうという考え方、病院に頼りすぎる考え方が、逆に薬害や医療ミスを生んでいる。一病息災という言葉があるが、病気を受け入れて、そして、治して行く。受け入れるとは、受け入れを持続、維持していくことであり、そのような受け入れの持続により、新しい活路を見出していくものである。〈受容の人間像〉とそれを呼びたいが、受け入れるだけでなく、持続する行動があり、いつしか活路を見出す行動が内包されねばならないから、山本修二や中村雄二郎が用いた「受動的動作」「受動的行動」「受動の能動」といった〈動き〉の言語が入ることが必要なのであろう。〈受動的主人公〉という表現をして来たが、やはり不十分であったと認識せざるを得ない。そしてさらに、受動という、単に受身と解される言語ではなく、受け入れるという〈受容〉の言語において表現できる意味内容を獲得していく必要がある。「受容の主人公」とタイトルする中に、受動的行動まで内包したものとなる必要がある。そのためには、受容の既成概念を払拭して獲得するという作業がいるだろう。山本、中村両氏は、外国演劇における受動的演劇の追い求めであった。私も最初は外国演劇からの刺激であったが、研究の対象は、日本演劇であった。この時点に来て、日本演劇（日本近現代演劇）における、受動の中に行動を持った人間像を追い求めて、そのことを――行動を内包する――〈受容〉のドラマと呼称出来る演劇作品を見つめて行こうと思い至ったが、当面は〈受動的〉ドラマという言語で統一していきたいと思う。

＊木村光一（一九三一年～）東京大学。文学座演出から地人会創立へ。ウェスカー「調理場」、テネシー・ウイリアムズの「欲望という名の電車」の演出で認められる。数多くの演出作品がある。宮本研の「美しきものの伝説」「夢・桃中軒牛衛門の」など注目された演出が多い。女優連から演出を嘱望された演出家。

■注■序章　受動のドラマへの入り口

(1) 演劇雑誌「劇作」44号　一九三五年十月号「英国現代劇の動向」山本修二
(2)『人間・言葉・ドラマ』中村雄二郎　青土社　一九八一年七月
(3)『ウエスカー全作品2』晶文社「調理場」のせりふ
(4)～(7)『ウエスカー全作品1』晶文社「大麦入りのチキンスープ」のせりふ
(8)～(10)『今日の英米演劇3』白水社「花咲くチェリー」のせりふ
(11) 文学座「欲望という名の電車」パンフレット　木村光一
(12)『ウエスカー全作品1』晶文社「大麦入りのチキンスープ」のせりふ

第一章　第二次世界大戦前の日本の劇作家による受動のドラマへの考察

――日露戦争以後から第二次世界大戦前のいくつかの劇作家の作品に触れて――

はじめに

明治の後期から、小説家が戯曲を書き始めたようだ。そのなかで目に付くのが、キリスト教に目を開き、近代的な自我の確立をめざした。『近代日本キリスト教文学全集』（12巻 戯曲集）の目次を見れば、

中村吉蔵「牧師の家」（一九一〇年）、　武者小路実篤「二十八歳の耶蘇」（一九一四年）
芥川龍之介「暁」（一九一六年）、　有島武郎「聖餐」（一九一九年）、
小山内薫「ペテスダの池」（一九二二年）、　正宗白鳥「天使捕獲」（一九四七年）、
三好十郎「その人を知らず」（一九四八年）、　加藤道夫「天国泥棒」（一九五三年）

と掲げられている。ただ、ここでの作家たちの作品は、登場人物のほとんどが聖書に登場する人物なのである。武者小路の「二十八歳の耶蘇」は、タイトルから耶蘇であり、人物も〈悪魔〉に〈耶蘇〉。芥川の「暁」は、あの男というのがイエスであり、ユダやペテロ、そして〈悪魔〉。有島の「聖餐」が、キリスト、ユダ、ペテロ。小山内の「ペテスダの池」は、基督、盲人、病者、である。つまり、耶蘇や天使の姿を利用する描き方が多く、受動の主人公を描く作品には、まだ距離がある。また、イエス像については、いろいろの考え方（奇跡を起こすイエス、何も出来ない弱気イエスなど）があるようだが、ここでは触れない。ただ、日本キリスト教文学全集に、イエスの全体像を描く戯曲を掲載しないのも、何か理由があるのか問いたいところである。例えば、一九三二（昭和7）年に日月社というところから、城森弘という人の『受刑者耶蘇』なる戯曲が出ている。これは、イエスの誕生から復活まで描いた作品である。第一部が、十九幕まで、第二部が、十八幕ある。五六〇ページの大作である。キリスト教の啓蒙書と見られ、戯曲としての評価が薄かったのかもしれない。

しかし、このような作品を含め、日本キリスト教文学全集にみるごとく、これらの劇作品が、すべて〈宗教劇〉という概念に収められていることが、問題に思われる。宗教劇そのものとは言えないが、宗教的なものを

扱った作品、宗教的なものを主題にした作品、人間イエスを描いた作品もあろう。

ここでの例外は三好十郎である。いや、例外ではなく、三好だけが、通常の登場人物を書いている。その意味では、三好十郎は戦後作家であり、『近代日本キリスト教文学全集』ではなく『現代日本キリスト教文学全集』のリストに入れるべきものだろう。後に触れるが、なぜか、〈現代〉日本キリスト教文学全集には、三好十郎は入っていないのである。三好十郎は、クリスチャンではなかったからか。

ただ、戦前は、宗教には関わりを持っているが、ここで言う〈受動的主人公〉を描いた作品は、少ないようである。とりあえず、まずは、日露戦争以後から戦前（第二次世界大戦前）の作家のいくつかの作品を、それがどのような作品かを見つめてみたいのである。

▼岩野　泡鳴　「焔の舌」（一九〇六年）

この作品のはしがきに作者は、「今や我が国の劇界は新思想と新趣味とを與ふべき時期に来たようだ。徒らに旧套を追って、また妄りに異国の産物を翻案して足りとしてはならぬ。（略）この「焔の舌」は、乃ち、僕の意見の一端を実現したもの。メーテルリングの所謂静止劇によらずとも、苛も思想劇たる以上は、動作よりも割合に談話の多いのは止むを得ないところ。（略）僕の新自然主義を以って直ちに神秘界にも突入しようとするこの自然主義的表象劇は、乃ち、思想と実現とを集中情化するのである。（以下略）」とあって、久しぶりの三幕物とある。さらには、「多少の抱負なきにあらざるなり」と自信を持っているようだ。

主人公・豊田花子は、聖書学校の生徒。精神病を幼い時から患っている。恋人の中山俊雄に捨てられ、婚約者のいる村田猛に接近する。祈祷会の折りに近隣が火事となる。

男たちには、その火が情欲に譬えられたりするが、その席で、花子は発作を起こす。神に縋ろうとしたが、効果なく、何のために神があるのか、と疑う。花子は、死ぬ覚悟をする。そこへ彼女を愛する村田猛が訪問し、最後の夜として花子は、猛を受け入れた雰囲気で終わる。翌朝、花子は、死んでいた、自殺であろう。花子は、聖書学校の生徒であり、神を信じようとしていた。だが、幼い時から患った病いの方が先行していた。神は助けてくれなかった。信仰よりも、現実に引きずられた。信仰を深くもって受動の主人公まで到達する意識は、残念ながら微塵もない。日露戦争の頃では、致しかたなかったか。

＊**岩野泡鳴**（一八七三〜一九二〇年）兵庫県淡路生まれ。明治学院中退、東北学院に学ぶ。数年教鞭をとったが、大阪新聞の記者に。一九〇九（明治42）年、評論「新自然主義」、小説「耽溺」などで注目される。妻清子と蒲生英枝との三角関係事件を起こす。異色の自然主義作家として私小説、心境小説の祖となった。

▼佐野　天声　「切支丹ころび」（一九〇九年）

一九〇七年に「都新聞」の懸賞戯曲に「大農」で首席当選している。一九〇九年に書かれた「切支丹ころび」は、今回手にすることはできなかったので、大山功の『近代日本戯曲史』（第一巻）から引かせていただくと、「九州の郷士渥見五郎左衛門には長崎に修業に出ている一子謙之丞がある。浄光寺の住職慈雲の娘お房に謙之丞が艶書を送ったことから、一緒にしてくれるように慈雲は頼むが五郎左衛門は拒絶する。実は謙之丞は父母がキリシタンであることを慈雲が密告しはしないかと心配して、お房の歓心を買って心にもなく艶書を送ったのであった。慈雲は自分の頼みのきかれなかったことを恨んで、宗門改めの来栖弥平次に密告する。突然帰郷した謙之丞は艶書の事情を父に打ち明けると同時に、近く踏絵の取り調べがあるかも知れないと警告する。弥平次が取調べにくるが、父母は改宗をがえんぜず縛につく。しかし、謙之丞は心をいつわってキリストの絵をふむ。キリストへの信仰心が厚く、息子に対するストイックな武士気質の父五郎左衛門の性格がかなり克明に描かれている。」とあるが、転ばない両親と、転びバテレンになる息子の違いに注目させられる。キリスト者の生き方も、転ぶ場合と基督者を貫く場合もあり、キリスト教を信じて生きて行くものと、棄教していく者にわかれる。そこに大きな悩みがあったであろう。そのような別れ道から、一つの生き方が生まれたであろう。ただこの時期は、この作者も同様であったように、イプセンの影響が大きく、イプセニズムに影響され、思想劇、社会劇としての先駆的な意味が多かったようである。

ただ、この時期に書かれたキリストに関わる生き方の選択は、興味の引かれるところである。しかも、「大農」という作品は、〈近代思想を扱った戯曲としての意義を認められているが、大農経営を念願とし、キリスト教的非戦論を信頼とする主人公が、周囲のあらゆる迫害に屈せず、自己の所信を貫こうとする〉（1）描き方には、受動の主人公とは、全く違った形象と言わざるをえない。

＊佐野天声（一八七七～一九四五年）　静岡生まれ。早稲田大学。坪内逍遥に師事、イプセニズムの影響をうけたものを書く。思想劇、社会劇としての先駆的面を持つ。主知的、観念的、意思的と言える。

▼中村　吉蔵　「牧師の家」（一九一〇年）

キリスト教の熱心な信者であった中村吉蔵が、キリスト教を捨てる結末を迎えるストーリーが「牧師の家」という作品である。牧師がキリスト教を捨てるという、これまた、ショッキングな、いや、思い切ったというか、すっきりした話である。キリスト教を捨てるまでの長々とした話が、事細かに、いささか、クダクダと三幕の長編で描かれる。ヘンリック・イプセンの影響が大きかった人らしく、イプセンをお手本にしたような、丁寧な物語構成である。（この作品でも、〈新会堂〉が出てくるが、イプセンの「建築家ソルネス」に似た題材を使っている）。ただ、人間描写にイプセンほどの深みがないのが惜しまれる。

熱心なキリスト教信者であった牧師（藤原覚一）が、娘（鞠子）のある兼子と再婚して幸せな牧師生活をしている。兼子が、お金を出して建立した新会堂だが、落成前に塔の上から先妻の息子・信一が落ちて亡くなっている。夫婦は哀しみの中にいるが、これも神のお心と考え、かねてからの望みであった廃娼運動に力を注ごうと夫婦で慰め合う。最初の妻の父は、枯渇したともいえる老牧師（植田牧師）であるが、会堂献堂式の日に、鞠子に、この会堂をデザインした建築技師工学士の吉岡寛介との結婚を勧める。奔放な鞠子は、冷たく断る。

突然、潮金平という兼子のアメリカ時代の知人が、金の無心にやってくる。兼子はアメリカ時代、娼婦であり、潮は客であった。彼は二千円を（船を買うために）提供せよ、ダメなときは娼婦ということをバラスと言う。夫・藤原は妻がかつて娼婦であったことを告白され、大いなるショックを受ける。告白すれば救われると信じていた兼子は裏切られる。娘鞠子は、父・藤原を愛していると言い、信一を塔か落として殺したと告白する。藤原牧師は「神様は残酷だ……。基督を昔十字架に釘付けた……今度は信一をあの高い塔のから……神は死んだ……慈愛の神は死んだ」と叫ぶ。兼子は、鞠子を娼婦時代に産んだ父なし子だと告げる。鞠子は、潮と船に乗り、家を出て行くことにする。藤原夫婦が用意した婦人救済会への申し込み者や多くの手紙が着いて、キリスト教を捨てるが、これらの人のことを想い、新しい生活をして行こう決心する。

長い、三幕である。微細に描かれていると言えばそうだが、事細かすぎて、余分な描写が長くありすぎの感があるが、「これが大正期に入って後年のプロレタリア戯曲の先駆となる多くの作品を生む基盤作りとなったことを忘れてはならない」（大山功『近代日本戯曲史』第一巻）という指摘があるごとく、歴史に残る作品ではある。

キリスト教を信じていた者が、それを捨てる行為は、神、イエスと対峙しなかったためか、いや、少しはしたが、神がなにも与えてくれなかったことへの、期待感の挫折だったかもしれない。ただ、神、イエスとの本当の対峙がなければ、結局は、キリスト教に少し接したにすぎないのではなかったか。ここには、キリスト教を捨てて身が軽くなる人間の姿はあるが、キリスト教を受け続ける体力、気力、志向がない気がする。受動的主人公とは、真逆の思考に思える。

＊**中村吉蔵**（一八七七〜一九四一年）　島根津和野生まれ。早稲田大学哲学科。一九〇一（明治34）年小説「無花果」で懸賞首席。アメリカでイプセン劇に感動し、「牧師の家」などイプセン張りの戯曲を書き、新社会劇団で上演される。「剃刀」「飯」「肉店」など創作戯曲を劇団に提供。

▼木下杢太郎　「和泉屋染物店」（一九一一年）

杢太郎の戯曲は、色彩的な効果と、抒情詩的な情調などで舞台の効果を醸し出して、審美的な美学的な効果を狙った戯曲と言われる。ところが、「和泉屋染物店」は、〈近代劇〉の出発作品として評価された。だが、しかし、である、

「和泉屋染物店」は旧劇の茜屋、堀川などの情調を今の予等にとって合理的であるように改作しようと思って作ったのである。故に前後数段に亘る曲の或一段を取たるが如くし、而してそれ丈で纏まりついているようにした。三味線などの音曲も、約束からではなく、も少し論理的に使用して見た。情調及びそれに附随する律も極めて芸術的に取り扱い、初めはゆるやかに、且詠嘆的に、中ごろより緊張の度を加え、やがて最強最急の律に達し、それより尚緊張を保ちつゝある降下に移り、最後に些の滑稽を加え、その緊張を別方面より緩和して幕を下ろすことにした。（2）

というのが、作者杢太郎の言葉であった。確かに、浄瑠璃が入ったり、三味線が入ったりすれば、情調が勝るが、後半に現れた社会主義者的行動を行なっている幸一によって、俄然、〈社会劇〉へ傾斜していっている。

木下杢太郎は、一八八五（明治18）年生まれ。静岡県伊東で裕福な家庭の子であったようだ。東大医学部卒業で、最後は東大医学部教授。あまり社会的な関心はなかったようだ。だが、「和泉屋染物店」は、例外と見たの

か、当時の新劇ファンの眼には、幸一のことばが、能動的に闘っていく青年に見えたのか、

幸一　（夢遊病者の沈着を以って）世界が違うのです。お互いに理解しないのです。暗い夜の世界から私は始めて明るい世界を見たいのですね。いやまだ暗いのだ。それでもそこをもっと良い處にしようと、皆血と汗とを流して働いているのだ。いやそうではない。まだ、中々真暗だ。地獄の洞のように暗いのだ。もっとどっさり血を流さなければ明るくはなりはしないのだ。それでもその地獄の洞に小さな孔を見出したのだ。積り積もった人の思いが厚い洞の壁に孔を明《（まま）》けたのだ。もっと廣い、廣い金色に光った海の表面が見えたのだ。その海の向こうに本当の都があったのだ。そうです。その世界へ。廣い、廣い緑色の世界へ、私達は行かなけりゃならないのです。**（3）**

幸一の言葉（せりふ）は、青年の能動的な態度を示している。この言葉に感動する新劇ファンがいたとしても、不思議ではない。明治の末に、社会主義青年が語る社会劇として成立するであろう。しかし、幸一の行動そのもの、つまり、内容は具体的ではなく、血肉となる言語や思想性もない。

「時代思想を背景とした新しい情緒劇としての成功作であった。これを社会主義思想の戯曲とみることは誤りでないにしても、幸一の思想が直ちに作者の思想であったとみるのは早計で、作者は思想よりも情緒をより多く意図したものであったとみられる。**（4）**

という見解（秋庭太郎）があるごとく、近代劇の出発点とするには、相応しい作品とは思えないが、そう伝えられてきた要素はあったのであろう。

さてここで、私見ではあるが、幸一が社会主義者ではなく、〈キリスト者〉であったらどのようであったか。

作者は、切支丹のものが得意であったとも伝えられているからである。幸一がキリスト者であったら、ただただ闘いに参加して刑を受けて行くだけの人間で終わらなかったのではないかと想像される。自己の人生、生き方、歩み方に、悩んだのではないか。自分の土台である家、父親との確執というのか旧思想と新思想の対立とも言えるが、相容れない親子の姿は、過去を批判できても、現在の自己の思想性の支柱になる信念、核がないという青年に終わってしまう。キリスト者ならば、もう少し自己との確執も描けるし、自分の周辺、家族や特に父親を受け入れる要素が描出されたのではないか。剣持健作という別名で死ぬのではなく、幸一という本名で貫けたのではないか。この時代には、まだ、受動的な行動を考えるキリスト者への発想はなかったのであろうか。

＊**木下杢太郎**（一八八五〜一九四五年）静岡伊東生まれ。東京帝国大学医学部。雑誌「屋上庭園」を北原白秋、長田秀雄らと創刊。満州に赴き、欧米留学、帰国後、東京帝国大学教授。

▼武者小路実篤「二十八歳の耶蘇」（一九一四年）

悪魔たちが、イエスをからかって、奇跡を起こす神の子と錯覚させる。騙されたイエスは、まだ二十八歳。武者小路実篤は、友人に有島武郎、志賀直哉、内村鑑三、国木田独歩、徳富蘆花などがいたが、これらのキリスト信者の作品をよく読んでいた。それ故か、キリストを大いに信じていたのかもしれない。大いにというのは、現実を超えた感情移入があったと推測される。習作のような短い作品で、イエスも悪魔もユーモラスになっている。キリスト者の世界には深入りしないということであったか。戯曲ではないが、一九一九年の長編小説「耶蘇」を見てみる必要があるかもしれない。

＊**武者小路実篤**（一八八五～一九七六年） 小説家、劇作家、詩人、随想家、画家。東京生まれ。東京帝国大学哲学科社会学専攻。中退。志賀直哉らと「白樺」を創刊。階級闘争の無い世界という理想郷の実現を目指して「新しき村」を建設した。「その妹」「愛慾」は戯曲の傑作。小説『友情』は、三角関係の恋愛を書いて、広く読まれる。

▼久米 正雄 「三浦製糸工場主」（一九一五年）

タイトルに付属して「社会劇四幕」と書き記してある。古い漢字のタイトルは「三浦製絲場主」である。表題から見ても、工場主と労働者の闘争が描かれる社会劇作品が想像される。幕開きからその予感は予感どおりである。工場で怪我をした女・関口ひでが、職工長・国分寅治の家に世話になっている。国分はこの機会にストライキを行なおうと計画し計画どおりにものごとを進めている。勿論、ひでの保証も勝ち取ろうとしている。

ひで ……昨晩だってあなたは、あんな事をなさるのですもの。

国分 ああもう昨晩の事を云うのはよしてお呉れ。俺はどうしてあんな気になったか解らないんだ。――ほんとに俺は心から悔いてる。どうかおまえも悪い夢だと思って、すっかり忘れて了ってお呉れ。

ひで それは私も忘れたいと存じますけれど、二度とあんな事をして下すっては、御恩になっている事が出来ませんわ。あんたがあんな事をなさる為に、私を此処へ引き取って下すったのじゃないでしょう。

国分 そう云われると俺は恥ずかしくて、ほんとに穴へでも入りたい位だ。（5）

にもかかわらず、国分はひでに、情熱に駆られて、性行為を行ってしまったのだ。

父親から製絲工場を受け継いだ息子・三浦淳吉が国分のところへやってくる。自ら進んで國分らの前に来て、

〈理想の工場〉にするという。職工たちみんなの要求ものむという。工場で怪我をした女・ひでも、病院へ入院できることになる。快方に向かう関口ひで。社長が毎日見舞いにくる。二人の関係が人の口に上るようになる。三浦社長は、ひでに結婚を申し込む。快諾が得られた直後、国分寅治がやってくる。彼女に未練があるようである。

社長・三浦淳吉は、周りの反対を押し切って、関口ひで、と結婚して、幸せな家庭を築いているが、

ふさ　（淳吉の母）何かって。
とし　（淳吉の従妹）男の人か何かよ。
ふさ　それはわたし淳吉にも念を押したのだけれど、……おまえ何かそんな証拠でも見たのかい。
とし　いいえ、証拠って程の事じゃありませんけれど、少し変ですわ。
ふさ　何が変なのだね。
とし　あの、おひでさんは妊娠してますわね。
ふさ　ああそれは私も気がついていたがね。
とし　兄さんと結婚なすってからまだ三月ですわね。
ふさ　ああそうだね。
とし　三月にしちゃ少しお腹が大きいとはお思いなさらなくって。(6)

淳吉の友人で医師の太田が、ひでの診察を依頼されていて、このことを確かめる。五カ月と判明したようだ。

とし　兄さん（淳吉）があの方と結婚したのは、やっと三月ばかり前ですわね。
三浦　そうだ。が、それがどうしたのだ。

とし　あのおひでさんは只今妊娠してらっしゃるわね。
三浦　それは薄々僕も知っていた。
とし　太田さんによくお聞きになすって？
三浦　別に精しく聞かない。只妊娠だとは云って行った。それで？
とし　あのおひでさんの妊娠は、どう見てももう五か月位なお腹ですよ。
三浦　五か月位だって？
とし　それご覧なさい。その通りお驚きなすったでしょう。やっと三月前に結婚なすった方が、五ツ月位なお腹をしていらっしゃれば、誰が見たって不思議ですわ。(7)

淳吉は、ひでのお腹の子が、国分の種であることを知る。正直に語ったひでは、離婚を覚悟するが、淳吉は自分の子として育てるから結婚は続けてほしいと言う。従妹のとしは、淳吉が好きであったが、淳吉がひでを愛する決心を聞いて、求婚のあった太田医師に嫁ぐことを決める。

〈淳吉の父親・淳蔵との会話が少し入るが、淳蔵は「どうだな、近頃会社の方は。相変わらず職工に耶蘇教の説教をしているのかい。」というせりふがある。淳吉が〈耶蘇教〉を説教しているというのだ。太田が、彼のやり方を、〈少し清教徒過ぎる〉という箇所があるが、耶蘇教に関する事は、この二か所にしか出てこないが〉

関口ひでは、国分にあなたの子を妊娠した、ことを告げて鉄道自殺する。三浦と国分への反応を残し、二人の立場（資本家と労働者）の違いを鮮明にしたところで、それは、資本家の温情主義など成り立たないという事を示すところで、この劇は終わる。

労資の関係と、恋愛三角関係とが社会劇として描かれたようであるが、三浦淳吉の耶蘇教の説教する態度、それは思想と言えようか。このことを、ドラマの中心に置いていないが、そこに流れている思考は、キリスト教精神とともに、経営する会社の置かれた状況、妻にした女性の情況、それぞれにたいして、淳吉の受動的な行動が、底流にあるように思われる。久米は才能豊かな作家のようであった。資本家と労働者の生き方の二つの立場を描く構図になっているが（もちろん、多くの他の要素が入っているが）、頑なに、淳吉の受動的な行動を追い求めれば、構図に終わらない作品が書けたのではあるまいか。

＊久米正雄（一八九一～一九五二年）　長野県上田市生まれ。東京帝国大学英文科。「新思潮」を山本、芥川、菊池らと第三次創刊。夏目門下に入り、国民文芸会を小山内、吉井、久保田らとつくる。

▼芥川龍之介　「暁」（一九一六年）

芥川龍之介は小説家である。ただ、数は少ないが、戯曲もあった。しかも、イエスらしき男が居る。登場人物は、〈悪魔〉二人とイエスらしき男。その他に、その男（イエス）を痛める人たち。

B　**（悪魔）**　どうだい、あの騒ぎは。
A　**（悪魔）**　ふん、ひどい事をしているな。
B　やあ、顔に唾をはきかけた奴がある。
A　又、なぐったぜ。
B　それ、髪の毛を持ってひき仆した。
A　感心、感心。もう一つなぐれ、もう一つ。
B　どうだい、今度は靴で顔をふみつけた奴がいるぜ。
A　又一つなぐったな。あの皮の靴では痛かろう。
B　〆めた、〆めた。そこを思い切って踏みつけろ。そら、鼻血が出て来た。

A　そうだ、そうだ。もっと力を入れてなぐるがいゝ。
B　だが、あんな目にあっても、あの男はだまっているぜ。(8)

AとBが、あの男が「あんな目にあっても、あの男はだまっているぜ」という態度に驚く。驚くというより感心する。「今まであんな奴にあった事はない」と言う。あの男がこんな、我慢強い態度をとれるのは、この男に、作者の芥川が、受動的行為の末に生きる姿を見ているからであろう。未定稿と書かれた二段組二ページ半ほどの短編であるが、紛れもなく芥川のイエス像に見た受動のドラマである。

＊芥川龍之介（一八九二〜一九二七年）東京生まれ。母の発狂のため実家の芥川家に養育され、一高、東京帝国大英文科。『鼻』で文壇に登場。『羅生門』『戯曲三昧』など。一九二七年自殺。

▼谷崎潤一郎「法成寺物語」（一九一五年）

小説家としての方が名をなしているが、大正時代は、戯曲時代で劇作家として有名である。「法成寺物語」は、猿翁（市川猿之助）の春秋座で上演され、後、築地小劇場でも上演された、つまり、歌舞伎で上演され、新劇でも上演されたということである。よって、演出や解釈にいろいろな面が現れた作品のようだ。構成は単純だが、筋立てなどは、綿密に巧みに運ばれているし、せりふも解りやすい。寛仁四年、法成寺院の完成間近い御堂に、佛画師〈為成〉に仏画（壁画）を、佛工師〈定朝〉に本尊を、そして、定朝の弟子・定雲に菩薩を刻ましているのが、法成寺建立者・藤原の道長（前の摂政関白）である。定朝は、本尊の容貌が浮かばず、行き詰っている。順調に仕事がすすんでいる為成に、慰められるが、依頼された仕事を、弟子・定雲に譲る決心をするが、道長は認めない。

定雲は、道長の思い者で美貌の〈四の御方〉に恋心を抱き、四の御方の姿を菩薩に刻む。顔の醜い、恋もしたことのない定雲に、四の御方が、道長の許しを強引にとり、定雲と二人で話す。定雲は、四の御方に恋焦がれていることを言葉の中に込める。

定雲　……ことし十九の春になるまで、恋を知らずに過ごして来た私は、あなた様のお顔を刻むのが、たった一つの冥加でございます。(9)

師・定朝は、叡山から来た〈律師〉に、仕事の苦悩を打ち明ける。すると、律師は、定雲の作品をどう思っているかを尋ねる。定朝は、自分を凌ぐ名工だと言う。それを聞いて律師は続ける、

律師　愚僧とても先に賞賛した通り、此の御像を天下無類の絶品じゃと、推稱するに躊躇はいたさぬ。いかさま非凡の仏師ならでは、斯ほどのお姿を刻まれまいと存ずるが、実を申さばいささか物足りぬところがあるわい。敢えて完全無欠とは、申されまいと思うまでじゃ。

定朝　そうして其れは、いかなる點でございまする。

律師　成る程定雲の作った菩薩には、たしかに魂が籠って見ゆる。生き生きして今にも動き出しさうに思わるる。されども愚僧が案ずるに、あまり生き生きし過ぎて居るのが難なのじゃ。此の木像に魂が潜んで居るなら、よも御仏の魂ではあるまい。正しく現世の人間の魂が籠って居るのじゃ。(10)

と言って律師は、「そなたが定雲の菩薩に勝った如来を作ろうと企つるなら、此の木像より美しい人間の顔を探すがよい」と言い、「美しい良圓という若い青法師」を紹介すると付け加える。女房たちは、絵に画いたような良圓の姿を〈平安朝式美男の典型〉と言う。定朝は、この青年の顔を心に焼き付ける。ただ、やって来た良

圓は、定雲の菩薩を見るなり、山に帰らせてくれと言う。役に立たなくなった良圓となるかと思いや、定朝は、すでにこの青年の顔を心に焼き付けていた。定朝は「如来の像は、出来上がったも同然」と歓喜の声を挙げる。

受け身的に耐え忍んできた定朝は、受動的な主人公としての要素を持っているかに見えたが、第四幕ラストのシーンに、登場しないのである。第四幕は、道長が、愛した女・四の御方と定雲を約束ごとに破たんしたとして、殺してしまう。それが、この作品の締めくくりであり、この作品の主人公が、藤原の道長であると語ってしまっている。定朝が、第三幕で消えたことによって、作者の意識が、全く受動的生き方に意識が行っていないことを物語ってしまっている。

＊谷崎潤一郎（一八八六〜一九六五年）　東京生まれ。東京帝国大学国文科中途退学。小説「まんじ」「細雪」「春琴抄」などがある。文化勲章や芸術賞など多くの賞を得る。芸術院会員、全米芸術院などつとめる。アブノーマルな世界、退廃的、デカダン的であるが、故意に時代反抗的な手法であったと思われる。

▼倉田百三　その１「出家とその弟子」（一九一六年）

一九一六（大正５）年の作品だが、現代まで読まれ続けている。当時からのベストセラーである。作者は、この作は、〝親鸞上人の史実に拠ったものではない。私の書いた親鸞はどこまでも私の親鸞である〟と書いている。また、〝宗教の教義を書いたものではない、人間の種々なる心持と此世の相に対する限りない深き愛である〟、とも書いている。

序曲と六幕一四場である。まず、「序曲」がある。「人間」と「顔蔽いせる者」との対話が描かれる。人間には、罪がある。それ故、死ぬる者だと語られる。つまり、「人間」がいかに愚かで罪深い存在であるかが語られる。

「第一幕」第一場は、ある夜、主人左衛門のところに、旅の途中の親鸞とその弟子たちがやって来る。吹雪で困っていて、宿を貸してほしいと頼む。ところが左衛門は断る。しかし、夢見が悪かった左衛門は、思い直して、親鸞一行を暖かい部屋へ案内する。

第一幕第二場は、親鸞を左衛門が導き入れるシーンであるが、左衛門と親鸞の会話が、実に長い。レーゼドラマと言われる証左であろう。勿論、左衛門の心情が述べられて、情況を開示するのであるが。

「第二幕」は、第一幕の十五年後。左衛門の息子・松若は縁あって親鸞の弟子になっていて、名前も〈唯円〉に改めている。親鸞の息子・善鸞は、父親に背き、親鸞の勘気が解けていない。善鸞は周囲から嫌われているようだが、唯円は悪い人だと思っていない。

親鸞が登場して、唯円との間に対話がなされる。この対話が、問答のような哲学的な長い対話である。またもや、レーゼドラマの様相を呈する。親鸞は、〝私の心のなかには人々には話されぬような淋しさがあった。〟唯円は親鸞に、〝私は此の頃何だか淋しい気がしてならないのです。〟すると親鸞は、〝淋しい時には淋しがるより仕方はないのだ。（略）お前の淋しさは対象によって癒される淋しさだが、私の淋しさはもう何物でも癒されない淋しさだ。人間の運命としての淋しさなのだ。〟と述べる。唯円は、〝私が淋しいのは信心が足りないからだと言うて。仏様の救いを信ずるものは法悦がなければならぬ。その法悦は救われている証拠だ。「踊躍歓喜《ゆやくかんぎ》」の情が胸に満ちていれば淋しい事はない。淋しいのは救われていない証拠だ〟と兄弟子・知應から叱られたらしい。（「踊躍歓喜《ゆやくかんぎ》」とは、仏さまを信じた時に生まれる心の喜びのようなもので、苦しくなった時でも念仏を唱えれば、喜びの心が湧いてくるはずだという）。

唯円は恋についても親鸞に問う。〝恋とはどのようなものでございましょうか。〟と。親鸞は、〝罪に絡まったものだ。此の世では罪をつくらずに恋をすることは出来ないのだ。〟と諭す。ここでまた、恋の長談義がある。唯円の不安な要素に親鸞が答えます。

親鸞　……実は私も唯円と同じ心持ちで暮らしています。病気の時は死を恐れ、煩悩には絶えず催され、時々はさびしくてたまらなくなる事もあります。踊躍歓喜の情は、どうもおろそかになりがちでな。時に燃えるような法悦三昧に入る事もあるが、その高潮はやがて灰のように散りやすくてな。私は終始苦しんでいます。(11)

さらに、弟子たちを加えた談義となり、さらにさらに、遠路尋ねて来た同行衆を加えた会話のやり取りが続いて、第二幕が終わる。

「第三幕」第一場は、唯円、善鸞、遊女のかえでと浅香が登場人物であるから、親鸞のシーンとは雰囲気が違うようだ。三条木屋町松の屋の一室である。善鸞が、唯円を呼び寄せる。

善鸞　私は淋しかったのです。誰も私の心を理解して呉れる人はありません。私はこうして酒を飲んでいても腹の底は冷めたいのです。私は苦しいのです。私は此の間あなたと遇った時から、親しい、温かい気がするのです。

（略）

唯円　私も此の間あなたと別れてから、あなたの事が思われてならないのです。あなたにお目に懸かりたいといつも思っていました。あなたから使いの来た時にどんなに嬉しいかったでしょう。(12)

二人の対話は、再び問答のようであるが、そして、レーゼドラマが続いているようであるが、舞台においても、この対話は、聞かせる力がある。その証拠はこの作品が何度も上演されていることでも理解出来る。（近年も若い人たちのグループが上演している）

唯円が師匠から聞いた言葉は、聞き逃せない。

唯円　お師匠様が私に常々おっしゃるようには、苦しい目に遇ったとき、その罪が自分に見出されない時は不合理な、怨めしい気がするものだ。その時にその怨みを仏様に向けたくなるものだ。其處を怺へよ。無理は無いけれどもじつと忍耐せよ。相構えて呪うな。その時にその忍耐から信心が生まれるとおっしゃいました。墓場に入れば何もかも解るのでありますまいか。その不合理の中に仏様の深い愛がこもっていることが解ったとき。(13)

「じつと忍耐せよ。相構えて呪うな。その時にその忍耐から信心が生まれる」という言葉を唯円は、聞き逃さなかったのだ。その後、この言葉は唯円の生き方に結びついてくる。唯円は、善鸞に父親に会うことを勧めるが……。

第三幕第二場は、親鸞の居間である。親鸞は、臥している。唯円は、善鸞に会って、赦してあげてほしいと言う。親鸞は、善鸞は旅先でできた子で、自分が独り暮らしできなかったために生まれた子なのだ。それ故、自分を責める心に耐えない、と苦しさを語る。そして善鸞を愛しているが、会うことは出来ないと言う。親鸞の理由が、宗教人らしく述べられる。善鸞を助けるか助けないかは仏様の聖旨《みむね》に在ること。私の計らいで自由に出来る事ではない。彼は一人の仏子であるからには仏様の守りの外に出てはいない筈だ。私は、ただ、〈祈り〉ばかりだ、と言い続ける。

「第四幕」第一場はその一年後。唯円と恋仲のかへで、二人の久しぶりの再会である。嘘をついて外出している二人だが……、

かへで　私を捨てて下さい。私はあなたに愛される価値《ねうち》がありません。私は汚れています。あなたは清い清い玉のようなお體です。（中略）あなたのことは一生忘れません。私はしばらく私にゆるされたたのしい夢の思い出を守って生きて行きます。

唯円　夢ではありません。夢ではありません。私は私たちの恋を何よりも確かな実在にしようと思っているの

です。(14)

悪環境に耐えながら、そして、二人は別れを惜しみながら、再会を約して別れて行く。

第四幕第二場は、浅香の居間で、遊女たちの間柄が浮き出る。かへでは浅香に守られている、という疑いの目があり、お上さんもかへでの帰りが遅いことをなじるようだ。

それでも、浅香とかへでの友情は深く、支え合う会話が続く。

「第五幕」第一場、唯円は、僧からお勤めを怠りなさるのももう度々の事でございますと、忠告を受ける。そしてさらに、木屋町へ行くのは、女と逢引するためと、しかも、良家の淑女でもなく卑しい遊女を相手にしている、僧たるもののすべきことではない、とたしなめられる。唯円は善鸞を木屋町に尋ねて、そこで〈かえで〉という遊女と出会い、恋仲になっている。唯円は、かえでは心の綺麗な純真な女だと主張する。僧たちは、唯円と同じ寺にいることは出来ない、と言って、自分(僧)たちが出るか、唯円が出るか、お師匠様に決めて頂くと僧たちは、言う。

第五幕第二場は、僧たちが親鸞に唯円のことを進言にくる。僧たちと親鸞との間で、唯円の恋を中心に対話がなされる。ここでも長い対話である。レーゼドラマには違いないが、聞きごたえのある会話である。作者が観客に聞かせる魅力を備えているのである。単に仏教的なテーマが扱われているわけではなく、いかに生きるべきか、また恋とはなにかなど、様々な事柄を考えさせてくれる面白い作品である。

僧たちは、親鸞の想いを受け取り、唯円を赦すことが本当だと感じるのだ。唯円が親鸞の前に呼ばれて、恋の辛さや、神髄が語られる。

親鸞　よくお聴き。唯円。其處に恋と愛との区別がある。その区別が見えるようになったのは私の苦しい経験からだ。恋の渦巻の中心に立っている今のお前には、恋それ自身の実相が見えないのだ。恋の中には呪いが含まれているのだ。それは恋人の運命を幸福にすることを目的としない、否寧しろ、時として恋人を犠牲にする私の感情が含まれているものだ。その感情は憎みと背を合わせている際どいものだ。(中略)恋が互いの運命を傷つけないことはまれなのだ。恋が罪になるのはそのためだ。聖なる恋は恋人を隣人として愛せねばならない。(略)南無阿弥陀仏だよ。やはり祈るほかないのだよ。(15)

唯円は恋か仏かの選択を迫られることになる。親鸞は、すべて仏様に任せてしまいなさい、と言って祈る。「第六幕」第一場。十五年後。親鸞九〇歳。臨終が近い。息子の善鸞が父親の親鸞のもとにやってくるかどうか。弟子になり妻となり母となったかへで（勝信）と唯円が心を配っている。

第六幕第二場では、

親鸞　もう時がせまって来た。わしが永いあいだ待つていた、けれどまたおそれている時が。わしははげましの必要を感じる。わしはおそろしい不安と、それに打ち克とうとする心とのたたかいを感じている。

勝信（かへで）　そのようなことがあっていいものですか。このようにお元気なのですもの。皆が御恢復をお祈り申しているのですもの。(16)

親鸞は臨終への覚悟を（自分で恐れながらも）延々と述べる。唯円は、善鸞に会ってくれることを親鸞に願う。そして、赦すと言ってやってほしいとも言う。親鸞は唯円の申し入れを受け入れる。

第六幕第三場は、善鸞がやっと到着する。父に許されるか、と問う善鸞に、「仏さまを信じるか」と父・親鸞に問われる。善鸞は、「わたしはなにもわかりません。信じられないのです」という答えにとどまる。

第六幕第四場は、「出家とその弟子」の最後のシーンである。親鸞の最後のみんなに、長い言葉がある。やっと、善鸞が現れる。

親鸞　お慈悲を拒んでくれるな。信じると云ってくれ……
善鸞　わたしの浅ましさ……わかりません……きめられません。
親鸞　おゝ。(眼をつむる)。(苦悶の表情顔に表れる。やがて、その表情は次第に穏やかになり、終にひとつの静かなる、恵まれたるもののみの持つ平和なる表情にかわる。小さけれどたしかなる声にて)それでよいのじゃ。みな助かっているのじゃ……善い、調和した世界じゃ。(此の世ならぬ美しさ顔に輝きわたる)おゝ平和！もっとも遠い、もっとも内の。なむあみだぶつ。(17)

ことされて、親鸞の魂が天に帰る。

ここに登場する人間のほとんどは、人間の愚かさ、いたらなさ、どうにもならない人間社会にまつわり憑かれている。それぞれが社会の残酷さにふれている。それぞれに語っている。例えば、

唯円　それは社会意志です。世の中の頑なな無数の人々の意志です。その力は私のお寺の中をも支配しています。私はこの間その力に触れました。ああどうして世の人はもっと情けを知らぬのでしょうか。己の硬い心が他人を苦しめていることに気がつかぬのでしょう。

浅香　自分の不幸を泣く涙も涸れて来た。と云って死ぬる事も出来ない。ただ習慣で何の気乗りもなしに来た事をつづけて行くだけだ。何が残っている、何が？　老いと死と、そしてそのさきは……ああ何もわからない。あんまり淋しすぎる。たれかがたすけてくれそうなものだ。本当に誰かが……　(18)

人々は人間のあり様を嘆きながら、どうすることも出来ないと言う。親鸞は、徹底して受け身の人であった。その弟子の唯円もまた、徹底した受け身の人間である。ここには、問題解決をしない親鸞像があるかもしれな

い。それは頼りないが、どんなに苦しくとも、その状況から逃げず、状況を引き受けて生き続けるのだ。苦しさから逃げないこと。そして、途中で崩れ果てないこと。最後まで、生き続けてこそ、道は開けるのかもしれない。勿論、必ず開けるという保障はない。人生何の救いもなく、自分ではどうすることも出来ず、死ぬか生き続けるだけである。社会変革は絶望的である。だが、親鸞も唯円も受動的な人間であり、受動的主人公に近い人間であろう。仏教に生きる人間を、ここまでの人間に引き上げた。しかし、念仏（祈り）しか、ないのである。祈りに逃げたとも考えられる。だが、暗闇でも生き続ける、ここに、倉田百三なる作家が、今日も我々の心に生きている理由が、理解できるように思われる。

倉田　百三　その2　「布施太子の入山」（一九二〇年）

布施太子と呼ばれる慈悲深い王子がいた。太子の布施は、限りがないと言われるほどであった。ところが、この国の守護神であった白霊象を他国へ布施してしまった。そのことによって、追放の身となり、壇特山に入って、究極の愛を追求しようとする。だが、国民が別れを認めない。母親の王妃も別れを拒否するが、

太子　母上よ、私が今あなたとお別れせねばらぬと決心するのも実にその愛のためです。その愛の至上命令に従うのです。あなたと今お別れするのが却って本当にあなたを愛する道であると信じるからです。永久にあなたとお別れしたくないからこそ今お別れせねばならないのです。(19)

太子は、妻と二人の子どもと馭者とで、壇特山に出かけるが、途中、波羅門に騙され、馭者も馬も車も着物も飾り物も、そして子どもや妻までも奪われる。一人、壇特山に入ろうとするとき、国の使者より祖国の危険な状態を聞くが、太子は聞き入れず、一人壇特山に入っていく。動物や鳥類などに迎えられ、喜んで聖山に入っ

ていくところで、幕となる。

周辺の人々を犠牲にしたが、太子は己れの一番欲するものに向かって、まっしぐらに進んでいった。己れが得たかった本当の〈愛〉を得るために。

〈この作品は作者が若い日のキリスト教から仏教へ転向した時の作品〉（大山功『近代日本戯曲史』第二巻）だと書かれているが、他者を大切にすることではなく、己れの信じる道を突き進む太子の姿勢は、まさに、キリスト教ではなく、仏教の道を歩いたという姿を見せたのであろう。その姿は、受動の姿勢ではなく、積極的、能動的な、果敢な行動であったろう。

***倉田百三**（一八九一〜一九四三年）　劇作家、評論家。広島県生まれ。一九一〇年第一高等学校入学。弁論部、文芸部。西田哲学に傾倒し青春の思索を傾けた。結核にかかり一九一一（明治44）年一高を退学、感謝と奉仕の生活の主張に共鳴して一灯園に入った。畑の労働、荷車押し、労働奉仕、信仰生活をする。文藝雑誌「生命の川」を発行。処女戯曲「歌はぬ人」を同誌に発表。「歎異抄」を熟読した。

▼有島 武郎　その1「死と其の前後」（一九一七年）

一九一六（大正5）年に妻安子を肺結核で亡くした後に、その体験を戯曲創作された作品である。

登場人物の中心は、夫と妻であるが、夫は作者であり、妻は安子であろう。六場の構成であるが、夫婦の現実の場面と、妻の夢の場面が描かれる。死期の近い妻と、それを見守る夫の心の変遷が描かれている。しかし、あくまで主人公は、夫の方に力点が行く。

妻　星にもお別れ出来たし、……うそよ。冗談ですのよ。私こんなに色んなものが可愛かったり、なつかしかったりするようでは迚も死ねませんわ。ほんとにこの世の中はいい世の中だった事。苦しかった事も悲しかった事も皆んな美しくばかり思い出されます……だから私治りましょうね。屹度治りましょうね。

夫　そうだ、ほんとうに治ろうね。お前の苦しく思ったことを哀しく思った事も、世の中の人に云わせれば、……俺の大嫌いな、酸いも甘いも知りぬいて感激の種切れになった人達に云わせれば馬鹿馬鹿しいものであるかもしれないが、俺としてはやっぱりそれがうれしかった。尤もその時分は随分うるさいと思ったがね。何しろ俺の性格にも仕事にも眼鼻のつかない中にお前に死なれては俺の方が浮かばれないよ。(20)

刻々と過ぎ去っていく時の刻みを感じながら、言葉が費やされていく。だが、第二場では、一転、〈妻の夢〉の場になる。前場の数年前であろう。妻の夢の場なのに、夫が語る事の方が多い。

夫　僕が教会をやめたのが自然の成り行きだって云う事は君には分っている筈だが、妻には突飛な出来事だったと見えてね。昨日妻の父から手紙が来たから読んでみたら、此奴（妻）は僕の事について嘗て父に相談がましい事をしためしはなかったのに、今度は非常に心配をして相談してよこしたが、一体どうした訳だと云って来たよ。お前はまだあの手紙を見ないだろう、ここにあるよ。（妻に手紙を渡す）教会に這入った時は君も知ってる通り勘当までされそこなって這入ったんだから、出るにつけても僕は相当に苦しんだ。然し思い切って出たのは結局よかったと思うんだ。

妻　それでもあなたは神様はお信じになるんでしょ。

夫　お前は例えば飯の味がほんとうにわかるかと聞かれてはっきり判ると答えられるかい。神を信じないと云うのは恐ろしい事だ。神を信ずると云うのも恐ろしい事だ。

妻　あなたはいつでも切羽つまると曖昧を仰しやるのね。

夫　そうか知らん。

妻　私にはあなたのほんとうの御心がわかりませんわ。
夫　段々わかって来るだろうさ。而していやになるさ。(21)

第三場は、元の現実に戻る。ふたたび、夫と妻の会話になる。しかし、その会話は、第一場にまさるとも劣らない壮絶なものである。

妻　私、私は……あなたを信じ切っていてよう御座いますか。
夫　いいとも。俺はこの一言をはっきりお前に云う事が出来るために、他人が知らない程俺の迷い易い心と戦って来た。而して俺は幸いにも勝ちぬいた。俺はそれを自分ながらいさぎよく思うんだ。安心して俺を信じ切っていいよ。俺もお前を心の底から愛する事が出来るのをありがたく思う。俺たち二人はほんとに幸ひだった。
妻　うれしう御座います。もう……もういつ死んでもいい。
夫　そうだ。お前はそこで生きてるより、俺の心のなかで余計生きている。俺の心はお前を吸い取ってしまったんだとさえ思える。然し今お前を失うのは——俺がやっとお前の夫らしくなった時にお前を失うのは苦しいからな、出来るならなおってくれ、いいかい。俺の血管の中にお前が想像も出来ない程毒血が流れているんだ。結婚してからもいくたりの女に誘惑を感じたか知れなかった。ある時は運命がお前以外の女に俺を結び附けるなと思った事さへあった。然し俺はそのたんびにたった一人でお前にさえも打ち明けられない戦をたたかったんだ。而して血みどろになりながらも、一つ一つ勝ちぬけて来た。一つ勝つたんびにお前の俺に対する愛と、俺のお前に対する愛とがはっきりわかり出して、それが力に変って来たんだ。(略) 俺たち二人は無駄には生きなかった。一つの力となって生きて来たんだ。わかるか。(略)
妻　もうほんとに天国もいりません。ほんとうにうれしくって涙がこぼれます。私は死んでも、もっと生きてますのね。

夫　そうだ、お前は死んでも生きてる人の一人だ。だが、お前は肉体的にも死んではいけない。
妻　生きられるだけ……生きられるだけ勇ましく生きます……もう何んにも云うことはありません。（暫く沈黙）足の方が寒くなりました。湯たんぽを……お医者様を。（眼を閉じて、気息ますますせわし）（22）

刻々と死に近づく妻と、妻を献身的に看病する夫との愛情が描かれているように思われると同時に、夫の意気込んだ言葉は、己が愛情を注ぐ力と自己正当化する意気込みにしか見えない。ほとんどが夫の一方的な喋りであるが、最後に妻が遺言と言って語る言葉がテキスト二ページくらいの長さがある。（長いので、引用は省略する）この最後の言葉以外は、死ぬことと夫への賛同かお詫びである。ここには、有島の、妻をいたわりつつも自分の思いのたけをぶちまける力強さが勝ったということか。

有島 武郎　その2「聖餐」（一九一九年）

有島の戯曲の創作での、処女戯曲は、「老船長の幻覚」（一九一〇年）である。そしてその数年後に「大洪水の前」、「サムソンとデリラ」、「聖餐」という、〈聖書を題材にした〉三部作を書いている。

有島武郎は一八七八（明治11）年生まれ。一八九六（明治29）年学習院中等科卒業後、札幌農学校予科へ編入、二〇歳のとき内村鑑三に出会い、その当時の新思想であるキリスト教へ近づいている。〈有島は洗礼を受けていない〉（佐古純一郎）という人もあれば、〈……明治三十六年の初め頃までには、熟読した内村鑑三の著書や雑誌の感化もあって、武郎の心中には一応キリスト教の正統信仰が成立していたと思われる〉（川鎮郎）と言う人もいる。

「聖餐」は、一九一九年の作であるが、〈最後の晩餐〉を聖書そのままに描き出したような作品でありながら、キリストをどのように形象するか、迷いがあったのではないか。その意味では、キリスト教を信望し、憧れの理念を作品の中で、追求していったと思われるが、早くにキリスト教への疑いが芽生え、ついには、棄教することになり、キリスト教と対峙して苦悶したことを生かせなかったのか。あくまで、キリスト教と対峙し、キリスト教のなかに、優しい愛を追い求め、受容していくことが貫かれなかったのか。そのためにか、矛盾の止揚者キリストを描けなかったようである。その意味では、有島は、常に現実と対峙していたと言えるだろう。その都度の生き方への深い探求が、聖書の世界や価値基準に沿うことはできなかったのであろう。現実と対峙し、それを常に作品化した有島は、高く評価されている。ただ、「一部のクリスト教徒からは、聖書の恣意な解釈として、すなわち非クリスト教的神学による解釈として批難される」（瀬沼茂樹解説より）こともあったように、真意のほどは、理解できなかったのではないか。

＊**有島武郎**（一八七八〜一九二三年）　小説家、劇作家。東京生まれ。学習院、札幌農学、アメリカへ留学。一九一〇（明治43）年「白樺」同人。「或る女」などで作家的な地位を確立。一九二三（大正12）年、波多野秋子と情死した。

▼菊池　寛　その1「仇討以上」（一九二〇年）

「仇討以上」は、菊池の名作「恩讐の彼方に」の〈脚色〉となっている。物語はほとんど同じであるが、短くなっている。岩盤に穴を開けるプロセスが簡略化されている。主人公の市九郎は、主人・三郎兵衛を殺し、主人の妾と駆け落ちする。二人で追いはぎのようなことで酒をたらふく飲む暮らしをしているが、その生活に嫌気をさした市九郎が、後日、僧・了海となり、罪滅ぼしのために、九州耶馬渓の洞門のきり開きに生涯を捧げる。そこは村人が落ちて死ぬ参道があったからである。二十年過ぎた頃、三郎兵衛の実子・実之助が仇討ちのため了海を探してくる。しかし、実之助は人々の話を聞き、了海の姿を見て、感動し、逆に作業を手伝い、完成させ、二人喜び合う。

日本的な罪を悔い、懺悔する生き方である。これこそ日本的宗教精神と言えるだろう。受動の態度でありながら、受動の態度ではなく、むしろ積極的に罪を償う、自己に課した重い十字架であるが、キリスト教的では決してない。ただ、この中に示された受動的態度には、受動の主人公のようなものの萌芽があると言えないだろうか。

菊池寛　その2「袈裟の良人」（一九二一年）

〈袈裟〉という美しい嫁を娶った〈渡〉だったが、袈裟に恋焦がれた男がいた。〈盛遠〉という男である。彼は、夫の渡を殺し、袈裟の母親を殺して、袈裟を手に入れたいとせまり、袈裟に執拗に言う。愛する夫に危害が加わることを怖れた妻の袈裟は、盛遠が今宵、渡を襲うというので、夫と寝床を交換して、自分を身代わりに袈裟は寝床に入る。予告通り盛遠が訪れ、首を取る。その首が袈裟の首とわかり、盛遠は、渡に自分（盛遠）を成敗せよというが、渡がなさなかったので、盛遠は出家する決意をする。

渡　お前は、なぜ俺に打ち明けては、呉れなかのか。俺はお前のために、盛遠と戦う。それが、男として、どんなに欣ばしい、晴れがましい務めであるかと言うことをお前は知らなかったのか。お前は、なぜ悲鳴を挙げながら、俺に救いを求めて呉れなかったのか。（中略）袈裟よ！　夫が、妻から望み得る一番うれしいことは、犠牲ではない。男が、女を犠牲にして、何がうれしかろう。強い男に取って、それは一つの恥辱じゃ。最愛の妻から受けて、一番うれしいものは、信頼じゃ。夫に凡てを任せてくれる信頼じゃ。お前はなぜ、俺に打ち明けては呉れなかったのじゃ。(23)

渡は、妻・袈裟に、自分に打ち明けてくれなかったことを嘆き、不満を述べ、己も出家する決意をする。

妻・袈裟が自分に引き受けた（受難）、それは受動の態度と言えるが、ここでは渡があくまで主人公であり、袈裟は、渡役に沿える脇に過ぎない。袈裟が受動の要素をもちながら、それが最重要と目される発想はここにはなかったと言える。

＊菊池 寛（一八八八～一九四八年）高松市生まれ。京都帝国大学英文科。草田杜太郎の名で処女作「玉村吉弥の死」を発表するが注目されなかった。一九一八（大正7）年、「無名作家の日記」で新技巧派、新現実派の新進作家として認められる。時事新報社から毎日新聞社へ。「父帰る」の戯曲で絶賛を浴び、文芸春秋社を創立し「文芸春秋」を創刊する。「恩讐の彼方」「真珠夫人」などの成功作がある。

▼小山内 薫 「吉利支丹信長」（一九二一年）・「ペテスダの池」（一九二一年）

「吉利支丹信長」は、信長が、キリシタン布教の認可を与え、日蓮宗の僧侶・日乗をへこませ、キリシタン宣教師フロイスに完全に加担する。「ペテスダの池」は、病から抜け出したい大勢の病人や不具者が、神の救いを求めて、池の面を見詰めている。一番に飛び込むためだ。そうすれば、どんな病気も癒るということらしい。三十八年間昏睡病にかかっている老人が、その池に来るが、みんなから排除される。ところが、基督がその老人に話かけ、老人を病から救う。周囲の群衆はなぜ老人が癒ったのか解らない。

「吉利支丹信長」は、タイトルに吉利支丹信長とあるが、おのれのためにキリスト教を使う信長である。「ペテスダの池」は、基督が登場する。キリスト教に深くかかわる物語を、演出者、翻訳家、演劇学者、劇評家である劇壇の第一人者・小山内薫が書いた。注目すべき出来事と思ったが、戯曲に接して、これは何を書いたのか、いや、なぜこんなものを書いたのか、宗教劇といっては恥ずかしい作品ではないか。理解に苦しむ作品と思ったが、神の堂々たる姿を書いたかもしれない。演劇界では、小山内と宗教（劇）のことはあまり追求されていない。一般的には、大本教についてはなされているようだが、キリスト教との関係は避けられているのか。明治の末から宗教的な作品をはじめたのは、小山内薫であったことは、記憶しておくべきだろう。

「吉切支丹信長」は、信長が宗教を政治に役立てる思考の新しさと構成の緊密さ、せりふなどで高い評価を得ている。しかし、つぶさに見れば、本能寺の変で明智光秀が、信長のキリスト教移入は、日本にとって危険だと判断し、本能寺で信長を倒したとあれば、小山内の作品に高い評価を与えてよいか疑問が残る。ここでは、受動的主人公とは関係なさそうであると言って止めておくべきだろうと思われた。

＊**小山内　薫**（一八八一～一九二八年）　広島生まれ。内村鑑三に傾倒、キリスト教に入った。東京帝国大学英文科。真砂座で演出、翻案、脚色を行い、処女戯曲「非戦闘員」を発表。市川左団次と「自由劇場」を結成、一九二四（大正13）年土方与志と「築地小劇場」を結成、新劇運動を今日に残した輝かしい人。

▼高倉　輝　「切支丹ころび」（一九二一年）

作品を手にすることが出来なかったので、大山功の『近代日本戯曲史』（第二巻）から引かせていただくと、「切支丹ころび」は、大正十年九月「改造」に発表。

「もとキリシタンだった有馬城主右衛門ノ佐直純は先妻まるたを礼拝堂に押しこめて家康の孫娘お仮名の方をめとり、キリシタンを迫害している。お仮名の方はもと堀越後守忠俊の妻だったが離別して直純に嫁し、ことごとに直純といがみあっている。突然直純の伯父千々岩清右ヱ門がたずねて来る。彼はもと熱心なキリシタンで外国にまで使者として行ったことがあるが、帰国してみるとキリシタンの弾圧が厳しくなっているので表面ころんだ風を装っている。彼は一人の女性をたずねて来たのである。その女は熱心なキリシタンで実は清左衛門の恋人だったのだ。ところがその女が弾圧されて死んだことを知り、その死を悼み彼は今でも熱心なキリシタンであることを告げて去る。直純は礼拝堂に忍びこんでいたお仮名の方の先夫忠俊を殺し、先妻まるたをはじめ大勢のキリシタンを焚殺する。

慶長末年のキリシタン弾圧を背景に直純、お仮名の方、清左衛門、忠俊、まるた、清左衛門の恋人などの愛と憎しみを描いて悚然たるもの感じさせる。……イプセン風の劇の進むに随って過去が暴露されていくという溯行的手法をとっているが……」と示されているが、〈ころび切支丹〉の生き方にどのような関わりを持ち、生き方にどのような変容をきたしたか、などの追求はなかった。

＊高倉輝（一八八一〜?年）高知県生まれ。タカクラ・テルはペンネーム。京都帝国大学英文科。戯曲「女人焚殺」「大原幽学」。戦後、共産党に入党。文壇、劇壇から問題にされなかった人。認められてしかるべき作家であった。

▼正宗白鳥「雲の彼方へ」（一九二五年）

白鳥は、一八七九（明治12）年岡山生まれ。アメリカ宣教師が経営するキリスト教の学校に入り、一八九六年には東京専門学校（早稲田大学の前身）に学び、植村正久によって洗礼を受け、内村鑑三に傾倒した。だが、卒業時には、キリスト教を捨てる（自叙伝には、「キリスト教を放棄して心がのびのびした」とあった）。小説家、劇作家の他に、文芸評論、演劇評論もこなし、芸術院会員となり、文化勲章、読売文学賞、などを受賞している。「自然主義――懐疑――虚無――神秘　さういふ風に正宗氏の思想の発展を跡づけることは大した間違いはなかろうと思ふ。そして筆者は氏の戯曲を神秘的虚無主義の作品と呼びたいと思ふ。」（一九二八年十一月「日本戯曲全集第45巻現代篇第13輯」春陽堂の〈解説者不明〉より）と記されている。正宗自身の虚無主義を避ける言動を超えて「氏の戯曲を神秘的虚無主義の作品と呼びたい」という発言が印象的である。

「雲の彼方へ」は、正宗の唯一のキリシタンものと言われた作品。弟・卯之助がある男の誘いでキリシタンへ傾くが、修業から帰って来た兄・庄三郎がこれを訝る。父や母に迷惑がかかると同時に我々も、お家断絶も含めて、処罰の対象になることを弟と共に心配し、恐怖を覚える。キリシタン取り調べの厳しい時代。卯之助には、好きな女がいた。〈おしほ〉という水呑百姓の娘である。だからか、家名や世間体を気にする両親の許可が得られない。もし、両親や親類の承諾が得られなければ、二人は手に手を執って駆け落ちをする決心であった。が、今は、彼女が怖くなり、もういやになったと卯之助は言う。おしほという恋人も、卯之助がバテレンの誘いの近くにいる予感あり、心を痛めている。卯之助は兄におしほとの別れ方を頼む。おしほと卯之助がこのことで言い争って、おしほが退いて、卯之助が目をつぶったとき、

（ト書き）目をあけると、おしほと同じような顔した女が、古代ローマの装いをして窓の側に月光に照らされてボンヤリ現れる。(24)

幻のように現れた、役名〈その女〉であるが、発する言葉は、あの男がくれたバテレンの魔法を書いた本からのようであった。その女が消えると庄三郎が立っている。

卯之助　おれは魔法に掛かってる。今も千年前の女子に出会えた。……おれはキリシタンにでもなる。デウスでも拝む。明日の日、代官所で拷問に逢ってもいい。何よりも眞萱へ行ってあの男を直ぐ呼んで来て、このおれの身體を魔法から解いて呉れ。

庄三郎　おぬしは亂心したか。心を落着けろ。

卯之助　おれは亂心してやせんぞ。昨夕奥澤の森の中へおぬしと二人で行ったとおれは思っていたが、あれはおれが魔法にかかって、有りもせんことを独りで思っていたのじゃ。おぬしは昨夕夜中に森の中なんぞへ行った覚えはないだろう。

庄三郎　おぬしはどうかして居る。おれはおぬしに誘われて、薄気味の悪い森の中へ入って行って、おしほが変な男に会って、魔法の伝授をせがんでるのを見たじゃないか。

卯之助　おぬしも魔法にかかってるのじゃな。行きもしない森の中へ入ったと思ったりして、……聖賢の学問をした人間がバテレンの魔法にかかったのか。(25)

弟の卯之助が、バテレンの魔法にかかったようになっているが、兄の庄三郎もバテレンの魔法に翻弄されたように、盲爆とした世界を彷徨うかのようだ。弟につり込まれたためなのか。

ここでは、キリスト教を信じようと心が動く者と、用心するものとの微妙なズレというのか、摩擦をおこしているかに見える。隠れバテレンと言われた人々のほうが、信念があったと言えようか。あやふやな心のみが、ここでは描かれていることになる。大學入学時に洗礼を受けた作者が、卒業時に棄教していることにかかわりがあるか。

＊正宗白鳥（一八七九～一九六二年）　岡山県備前町生まれ。岡山を出て、アメリカ宣教師の経営するキリスト教学校に入る。一八九六（明治29）年東京専門学校（早稲田大学前身）で、シェイクスピアを学ぶ。読売新聞に入社。美術、文学、教育など記事担当、劇評も書き、一九一二（明治45）年処女戯曲「白壁」。帝国芸術院会員。

▼藤森　成吉　「何が彼女をさうさせたか」（一九二七年）

築地小劇場がとりあげた最初の左翼的創作劇と言われ、好評を受けた作品である。若い一人の女性（中村すみ子）の受難の劇である。子どものころ芝居一座に入ったが、すみ子を食い物にする叔父やあくどい男に使われて酷い生活をするが、善良な巡査に助けられ、養育院に入る。美しく性格がよく、働き者だったので、市参事会員のお宅へ小間使に雇われるが、この家の夫人に侮辱されて飛び出し、琵琶の師匠のうちの女中になる。ここで、子ども仲間だった新太郎に再会する。懐かしむもつかの間、この家の主人の琵琶の師匠に言い寄られ、家を飛び出し、恋人となった新太郎と海に飛び込んで情死するが、助けれ、キリスト教婦人収容所天使園に入る。が、ここの主任矢澤うめ子女史に信者の面前で懺悔を強いられ、「愛だなんて、神さまが愛だなんてみんなうそです」と言って怒った彼女は、天使園に火をつける。燃える赤い火を見て喜びながら警察に捉えられる。〈何が彼女をそうさせたか〉を訴えている作品である。

無垢で純真な娘であるが、感受性も強く、主任うめ子女史の要求には、耐えられなかった。彼女は、〈キリスト教婦人収容所天使園〉という神を信じるというところに居りながら、そして、彼女は神を信じようとしているところであったにもかかわらず、この館に火をうけるという大罪を犯してしまう。皮肉にも、神の組織が、彼女に大罪を犯させてしまうのである。ここでは、キリスト教の救いではなく、キリスト教が人間を追い詰めてしまっている、という形になってしまっている作品である。キリスト教に関係する館を戯曲の最後にもってきたのは、やはり、キリスト教が最後に救わねばならないという観念が作者にあったからであろう。そう考えれば、単純な終わり方では、なかったかもしれない。

＊**藤森成吉**（一八九二〜一九七七年）　小説家、劇作家、長野生まれ。社会主義同盟、フェビアン協会参加。「磔茂左衛門」（一九二六年）などでプロレタリア演劇の代表作家になる。民主主義文学、演劇に尽力。

▼長田 秀雄　「澤野忠庵」（一九二七年）

「大仏開眼」と言えば、長田秀雄という記憶が蘇ってくるだろう。一九二〇（大正9）年に書かれ、一九四〇（昭和15）年に改作された。その時が初演であったようだ。長編史劇である。明治末年に活躍した作家たちは、当時輸入されたイプセンの影響を受け、イプセン模倣の戯曲を書いた。長田秀雄はこの時代を特徴づける作家の一人であった。

「澤野忠庵」は、サブタイトルに〈南蛮ころび伴天連　キリシトワン・へレイラの事跡〉と付いている。ころび伴天連であるが、最初は、立派な伴天連である。宗徒から熱い信頼を得、あがめられている。弾圧を潜り抜けて、布教に熱心である。だが、捕手が現れて、伴天連を探す。

へレイラ　さあ、私を縛るがよい。（自分で手を後ろにまわす）

女　瑪利亜さま。どうぞ伴天連さまをお救い下さい。

（一同口々に、「どうぞ伴天連さまをお救いください」と叫ぶ。）

へレイラ　皆さん。殉教の時が愈近づきましたぞ（縛られる）**(26)**

へレイラ（澤野）は、堂々と捕まる。ころぶことをガンと受け付けないへレイラがいた。しかし、穴吊りの処刑で、逆さ吊りに堪えなくなり、ころぶ。へレイラは〈澤野忠庵〉と名前をかえ、キリシタンは捨てたが、医学は捨てなかった。天草の乱のとき、幕軍の治療役になる。金貸しも行ない、強欲非道な人間になっている。しかも、隠れキリシタンに対して〈絵踏〉をさせる。（〈踏み絵〉でなく〈絵踏〉という言葉がこの当時からあったのだ）。

澤野（へレイラ）　では、これから人別帳によって一々引合せて、聖像を踏ませる。皆も知っているとおり切支丹は厳しい御法度だ。それにもかかわらず、近年また、お上の眼をかすめて、ひそかに信仰いたすものが、非常に増えてきた。そして島原の一揆のような上を恐れぬ仕業をするようになってきた。お奉行はじめ我々はお国のために、何とかして、この異国の邪宗を根だやすようにと、一生懸命に努めているのだ。**(27)**

踏み絵をさせられる立場にあった澤野（ヘレイラ）が、踏み絵（絵踏）をさせる立場にあり、〈この異国の邪宗を根だやすように〉と、〈異国〉と言い、〈邪宗〉と言う、あまりにも、立場を入れ替えた、まさに変身（変容）である。この男は、冷酷無比にこのような行動を行なっていく。

ところが、踏み絵をやらせる澤野の前に、ころばない若い女が現れる、そしてその女は、「私はあなたに洗礼を授けて頂いた」者だと言う。「浦上の在所で、七つの時、その時分、あなたは貴い伴天連さま」であったと言う。これを聞いた澤野は、後日ころばぬ彼女に熱湯をかけるやさき、澤野忠庵は、倒れて、死ぬ。

よき伴天連であった時と、拷問で弱さを知ったときと、状況によって人間が変わってしまう、同じ人間でありながら、二面性が出てくるという人間の恐ろしさかもしれない。しかし、澤野が、洗礼を授けた女性に接したとき、澤野の心に何かが浮き出てきたのであろう。それは、伴天連時代に持っていた神と向かい合う真摯さであったろうか。神に真正面から対峙することによって、自分の弱さをさらけ出し、認識して、そして、状況に左右されることより、状況を受け入れる、状況を背負う行動が生まれるだろう。澤野には、キリストと真正面から対峙することがなかったのかもしれない。洗礼を授けた女が現れることによって、神との対峙を、そのことを見出せぬままに、自分の罪のみを見出してしまったのかもしれない。受容することを発見できなかったということか。

＊長田秀雄（一八八五〜一九四五年）　東京生まれ。処女作「歓楽の鬼」。一九二〇（大正9）年市村座に入る。一九二八（昭和3）年退座。新協劇団の顧問。明治の末、多くの劇作家がしたように、イプセン模倣の戯曲を創作した。

▼加藤 道夫 「天国泥棒」（一九二七年）

加藤道夫は、プロテスタントの家に生まれている。一九一八年福岡県戸畑市生まれ。慶応義塾大学英文科。エリザベス朝演劇を研究し、一方フランスのジロドウに親しむ。一九五三年自殺する。「天国泥棒」は三十五歳の若さでこの世と別れた最後の作品である。しかもカトリックの信仰に近づいていた。

作品は、洗礼を受ける、あるいは、拒否する世界を扱っている。一人の男は、〈悪人〉だが、処刑直前に悔い改めて、洗礼を受け、天国へ行くことを許されることになりうる〈天国泥棒〉というわけである。もう一方の〈善人〉は、悪人を憎み、自分は無実で、処刑直前に悔い改めて、洗礼を受けるなどということは、断じて拒否するという男である。処刑を終わった看守に善人の男（A）は尋ねる、

男A　あの男はどうしたね？　……神父さんに逢って洗礼を受けたのかい？

老看守　すっかり悔い改めてね。全く、魂の隅々まできれいになったよ。彼奴は天国へ行けるかもしれないね。（略）

……あんたも死ぬ前に神父さんにお逢ひしたらどうだね！

男A　（激昂して）お断りするね！　天国であんな悪人と顔を合わせる位なら、僕は地獄を選ぶよ。

（略）

男A上衣の襟の中からカミソリの刃をとり出そうとする科。（中略）

老看守　……神様……かう云う男は、一体、どうしたらいいのでしょう？

「キリエ・エレンソン」の歌声、一際高まるうちに　静かに幕。(28)

加藤道夫は、信仰の世界を正面から問いただしている。が、その、問いただすところで戯曲は閉じられているが、信仰への答えは出ている。ただ、受動的行動をする主人公の形象までは、意識が行ってはいない。

＊**加藤道夫**（一九一八〜一九五三年）福岡県戸畑市生まれ。慶応大学英文科。ジロドウに親しむ。名作「なよたけ」。芥川比呂志らと劇団麦の会結成、その後、文学座で劇作、演出をする。強度の神経衰弱のため自殺する。

【注】 岩野泡鳴から加藤道夫の作品

（1） 山本二郎『現代日本戯曲選集2』解説　白水社、一九五五年七月
（2） 木下杢太郎戯曲集「和泉屋染物店」の記述より
（3） 木下杢太郎「和泉屋染物店」のせりふ
（4） 秋庭太郎『日本新劇史（下）』理想社、一九七一年十一月（再版）より
（5）〜（7） 久米正雄「三浦製糸工場」のせりふ
（8） 芥川龍之介「暁」のせりふ
（9）・（10） 谷崎潤一郎「法成寺物語」のせりふ
（11）〜（18） 倉田百三「出家とその弟子」のせりふ
（19） 倉田百三「布施太子の入山」のせりふ
（20）〜（22） 有島武郎「死の其の前後」のせりふ
（23） 菊池寛「袈裟の良人」のせりふ
（24）・（25） 正宗白鳥「雲の彼方へ」のト書きとせりふ
（26）・（27） 長田秀雄「澤野忠庵」のせりふ
（28） 加藤道夫「天国泥棒」のせりふ

第二章　戦後の日本の劇作家による受動のドラマへの考察

——第二次世界大戦後の幾人かの劇作家の作品に触れて、その受動的主人公を考察——

戦後の新劇高揚期の時代に注目されてもよいのではないかと思われた受動の主人公たる人物を描いていた劇作家たちは、意外や『現代日本キリスト教文学全集』に、数人を除いて集約されている感じがした。この書籍は、宗教小説の掲載が主であるが、戯曲も掲載されていた。受動の主人公に興味をもった時、日本の劇作家がキリスト教に接近、乃至は、キリスト教に興味をもった劇作家に片寄っていることに驚きがあった。が、その結びつきについては、後に探究することにして、掲載された作品の形象に深く入ってみたく思った。劇作品が掲載された目次を眺めると（第一巻〜十八巻に小さなタイトルが付けられている。ただし、小説のみの巻は省略した）。

①神との出会い　矢代静一「夜明けに消えた」（一九六八年）
②日本の土着　遠藤周作「黄金の国」（一九六六年）
③死と不安　矢代静一「写楽考」（一九七一年）
⑥信仰と懐疑　田中澄江「がらしあ・細川夫人」（一九五九年）、
　椎名麟三「天国への遠征」（一九六一年）
⑦犠牲と奉仕　田中千禾夫「教育」（一九五四年）、
　矢代静一「宮城野」（一九六六年）
⑧自由と虚無　椎名麟三「第三の証言」（一九五四年）
⑨幼年と青春　椎名麟三「自由の彼方で」（一九五三年）
⑩母性と聖性　田中千禾夫「マリアの首」（一九五九年）
⑮自然と生活　田中千禾夫「肥前風土記」（一九五六年）

右記に名前が無い作家に、先に触れた三好十郎と、戦後の新劇を代表すると言ってもいい木下順二という劇作家がいる。木下順二はリアリズム演劇の作家と言われるが、クリスチャンであり、受動の主人公を描いて来たと言える作家であると思うが、一般的にはそのような認識は皆無なのであろう。この他にも、洗礼名〈マリア・ヨゼフ〉のカトリック信者・井上ひさしがいる。
三好十郎、椎名麟三、田中千禾夫、遠藤周作、矢代静一、木下順二などについて、これらの作者が戦後抽出して来、描いた受動的主人公が作品の中に実在したか検証してみたい。

▼三好十郎　その1「その人を知らず」（一九四八年）

「キリスト教の信条をそのままに素朴に、そして厳格に守るために軍の招集に応じることを拒んだために憲兵隊にあげられた青年の話を私が聞いたのは戦争中の、それも終戦近くだった。聞かせてくれたのは、たしか新聞関係の人だった。その話から私は強いショックを受けた。それまで、戦争前から戦争中へかけて、自分が戦争というものに就いて考えたり感じたりしたいろいろの事に、一気に焼ゴテを当てられて血が吹きだして来たような気がした。私はその青年に会いたくなった。その由を、その新聞記者に話したが、憲兵隊では外部の人に面会はさせまいと言う。（中略）私はこの青年をシンから愛している。同時にそれと同じ強さで憎んでいるのである。それはちょうど私が自分自身を愛しているのと同じ強さで憎んでいる事と全く似ている。（中略）この青年を全く憎まず、ただ愛することが出来るようなことが出来るようになれるかどうか（実にそうなりたいのだが）まだ私にはわからない。このような場合に、私に出来ることといえば、その事を作品に書いてみる事しか無いのである。それでこの作品を書いた。」と三好十郎は〈「その人を知らず」について〉という文章に書いている。

キリスト教の信条をそのまま素朴に、そして厳格に守るために軍の招集に応じることを拒んだために憲兵隊にあげられた青年の話を三好十郎は聞いたのである。「既に丸一年間も留置されている一家四人の家族……その一家はカチカチのキリスト教徒であるが、その家の長男は特に狂信に近い男で、召集を受けたら、〈自分はキリスト信者であり、キリストの教えに依れば、人を殺す勿れとあるから、自分は出征して人を殺すことは出来ないから〉と言って軍服を返した、というのである。すぐに軍法会議にかけられ、家族全部が取り調べられた。つまり、〈なんじ殺す勿れ、おのれの如く隣人を愛せよ〉、というキリスト教の教えを固く守った彼は、兵役拒否によって、拷問にもかけられ、父親は自殺し、弟は職にもつけず進んで兵隊に行き戦死する。母は病弱となり命を失っていく。盲目に近い妹は、惨めな生活を送る。家族がどん底に落ちても、この男は、自分の想いを貫いて行く。ただただ、〈人を殺しことは出来ない〉と。この青年片倉友吉に、この青年を導いた牧師が語る。

人見　おい片倉！　君も、この、君は考えてくれなくては困る！　信仰は――この宗教上の信仰の点では、君は、えらい。いや、その、えらいようだけれども、それは君、狂信だ。たしかに狂信だ。そりゃ、聖書に書いてあることを、そのままに信じるという事は、大事ではあるけれど――いや、この、聖書のことだって、いろいろの解釈が有るのだ。解釈しだいで、この、なんです、つまり――いや、われわれはキリスト教の信者であると同時に、いや、信者である前に、日本国民だよ。……（略）……君一人は、それでいいかも知れんさ。しかし、君の親兄弟や、今の聖戦で、総力をあげて戦っている全国民はどうなるのかね？　みんな、死ねばいいのかね？　……そらごらん！　君はまちがってるんだ。まちがっている！　絶対に、この――だから、どうか頼むから、眼をさましてくれたまい。私は――

友吉　だけど、僕を導いて、信仰をあたえてくださったのは、先生じゃありませんか。洗礼もあの――。ぼくがいっているのは、おとどし、先生がぼくに教えて下さった通りですもん――

人見　ああ！　神さま！　私は――　それは、それは――私が君に教えてあげた事は、そういう意味じゃなかったのだ！　そんな、そんな――君のように解釈するのは、まちがいだ！

友吉　殺すなかれ、なんじら互いに愛せよというのは、じゃ、あの――（1）

「その人を知らず」の牧師（人見）が、戦争を拒否する片倉友吉を、説得しようとする。が、牧師の言葉は、むなしい。片倉友吉の聖書を愛する力は貫かれている。父親義一は、こんな野郎は私の子じゃないといい、息子の首を絞める。友吉は殺されはしなかった。

終戦になって、国賊よばわりされてきた片倉友吉が、戦争を反対し続けた人間として評価される。

司会　そりゃ君、今となっては、この、つまり戦争中ぼくらみんなゴマカされたり目かくしをされていたために、なんだ、あんな戦争なのに、それに負けちゃならんといわれるままに、なかには本気になっていた者も居るんだから、なんだ、君に対して、君を、つまりハクガイしたりした者も居ただろうけれど――いや、ほとんどみんな、そうだったかも知れんけれど、それは支配階級からゴマかされてホントの事を見ることが出来なかったからの事で――しかし今はもうわれわれは解放されて自由になったんだから――だから、みんな、あの時は、君に対してすまない事をしたと思っているんだと思うから、それで、まあ、こうして君を迎えて話を聞きたいというのも、つまり、そういう気持のあらわれ――

友吉　いえ、とんでもない、すまないのは僕なんです。僕ですよ。あの、最後にケンペイに連れて行かれる時だって、運動場でみんなから、ぶたれたり、けられたりして……みんなの中にはくやしがって泣きながら僕をけってる人もおります……されながら、僕は、ホントにつらかったです。昨日まで仲よくいっしょに働いていた人たちから、自分だけが人とちがった事を考えているために、こんなに怒られている。そう思うと、よっぽど、あんときに、エスさまを捨ててしまおうかしらんと考えたりしました。しかし、どうしても、そう出来なかったんです。ですから、みんなにすまないと思って、心の中で手を合わせながら連れて行かれました。(2)

ここでの二人のやり取りは、いささか、ズレている。作者が、ワザとずらした見事な会話である。司会者のこの場での心使い、友吉は自分の心情が先行する受け答えの中に、この場の意味を懸命に伝える。だが、教えを行なった牧師は、逆に、自分も迷惑を被った友吉の行動に今はのらりくらりの態度が続く。友吉は、小さな穴の中へ押し込められるように、小さくなっていくが、自分の心情（観念）で、一人生きていかざるを得ない。

人見（牧師） 片倉（友吉）は、ガンジイなどの影響を非常に受けていて――つまり暴力否定、それから、その暴力否定抵抗ですが――むしろ、実際的には、キリスト教よりも、そちらの方が強いんじゃありませんかねえ。

友吉 そんな――私は――べつに、そんなこと――

（中略）

人見（牧師） 君が実行したために、君のお父さんは死んだ。明（弟）君は苦しんで、ヤケになって、戦死した。それから、私なども、ずいぶん――いや、私の事など、なんでも無いが――それから、ヤミや不正は絶対にしないという君の行き方のために、君のお母さんも――肺炎だというけど、ホントは栄養不良が原因してるんじゃないかね？ ――そんなふうに、それは或る意味で――自分の信念を生かすという事はけっこうだけれど、その事だけのために、他の人をみんなギセイにするという意味で、それはエゴイズムとも言えない事は無いんだから――（3）

牧師の友吉への苛立ちが浮かび上がる。だが、友吉は、孤独になろうとも、自分の、いや、信仰の教えによる世界を生き続ける。それしか何もないのかもしれない。実に情けない行動であり心情である。しかし、彼は、逃げない。自分にのしかかる状況を背負って生きるのである。神への信頼を失ったように信仰に頼らず、自分を生き晒していくようでもある。それでも、三好十郎の作品の底流に流れる「人を殺すよか、人から殺される方がええぞ」という想い、いや信念だろう。そしてそれは、受動的主人公と言える形象を内包していたと言える、いや、受動的主人公そのものだと言えるだろう。

三好十郎 その2「冒した者」（一九五二年）

三好十郎は、プロレタリアの演劇作家で出発した。ところが、積極的ニヒリズムを得て、神とのかかわりに到達している。宗教を信じていただろうか。最終的には、宗教を信じていなかったかもしれない。しかし、三好の作品は、宗教に内包される人間追求の姿勢と重なるところがあったのであろう。「冒した者」は、一九五二（昭和27）年「群像」に発表された。

この作品の出だしが、いささか度肝を抜かれる。

「そうだ。もう芝居は、たくさんだ。いつまでやって見ても果てしの無い話だ。私たちの後ろにかくれて、私たちを躍らせている者がある。私たちはそれに気が附かずに、自分は自分の意志で自分のイノチを生きていると思って居る。（略）しかしもう飽きた。もうたくさんだ。なるほど、そいつの演出の外へ抜け出すことは出来ないも知れないが、（以下略）」（4）

これは〈私〉という作者の言葉、らしいせりふである。さらに、〈「冒した者」について〉とい前置きに、

「私はこの作品の中からこれまでの戯曲のすべてに在った演劇的な約束や大前提を投げ捨ててしまった。（略）普通いう意味での〈理解〉は得られまいと思う。（以下略）」（5）

これまでの芝居の約束から遠のいて作品を書こうとしている。登場人物は、作者と思われる〈私〉と、この家に登場する人々。この家の管理を任されている浮山。医者の舟木。信仰を持つ妻の織子。弟の省三、株屋の若宮。その娘・房代。他に、この家の主人の妾腹の柳子。浮山の遠縁、原爆にあってる盲目のモモ子。そして、幸せなこれらの人々の人間関係に不安をもたらす須永、といった人物が登場する。須永は、〈私（先生）〉の部

屋で、私に言う。

須永　人間は原子爆弾を発明しちゃたんです。人間が築きあげて来た科学が自然にそういう所まで来てしまって、そいで原子力が人間の自由になってしまったんです。もう後がえりする事は出来ないんです。見ていけないものを見てしまったんです。物質の一番奥の秘密のようなものを——神さまだけしか知ってはならないものを、人間は知ってしまったんです。(6)

三好十郎没後三十年記念展図録冊子に、「劇団民芸」がこの作品を上演したときの欄がある。そこに、

「冒した者」〝原子爆弾でみんな殺され、死んでしまうかもわからないのだ。それをほかならぬ人間が作り出して使った！　神だけがする資格ある事を人間が冒した！　もう取り返しは付かない〟原爆の恐怖と人間の愚かさを鋭く突いているこの作品には、〈私〉という形で作者が登場する。(7)

という文章がある。勿論、このような直截的な物語ではない。普通に約束にあった展開（ドラマ）になっていないと作者を最初に述べている。二十のシーンからなっている。そして、須永は、殺人を犯して来た人物として現れている。須永の恋人あい子は、心中を約束した前日、一人で薬を飲んで自殺して死んでいった。須永は、あい子の両親（父親は養父）と、米屋を殺していた。あい子も自分が殺したと言う。殺した理由は本人にもわからない。そのような彼に他の人々は、悩まされる。

私　すると……しかし、あなたはこれまでズーッと舟木さんがそう言うつもりでいるらしいと思っていられたわけなのに、それでも今まで黙っていられたのに、今夜急に、そのジッとしていられない——で僕に言われると言

うのは、どうして――？

織子　どうしてだか、私にはわかりませんの。不意に我慢が出来なくなったんです……あの須永さんて方を見たせいかもしれません。

私　須永を？　だって、あれは、ただ――

織子　あの方を見ていると、なにか、地獄へひきずりこまれるような気がします。……いえ、反対に、あの、地獄の中へ降りて来た天使を見ているような気もします。(8)

須永の姿が描き出されるが、ここに横たわるものは、

「冒した者」で、三好が提出したものは、第三の道に立たんとする知識人の姿勢だった。否、知識人とは、第三の道に立つ者のことを言うのだ、という断乎たる揚言だった。第三の道とは、換言すれば、絶対平和主義の道なのだ。(9)

という指摘が田中單之の「三好十郎論」にある。死を決意していくとも、滅びゆく世界を変革するためには必要なる決意である。原子爆弾を被災した日本人として原子力とどのように対峙していくか、作者・三好十郎の覚悟から見えてくるものがあるのではないか。

「複雑で、恰も辣薤の皮を、中に何かあるだろうと次から次に空しく剥いで行くように屈折しながら、遂には虚無の底を覗いてまで人間とは何かを絶望的にすら探り、それでも尚、生きて行くのための最後の塁として、人間信頼を捨てまい信念で烈しく自己を燃やしつづけ、重く熱い言葉を、吐いては消し、消しては吐き、執拗に重ねなければならなかったのが三好十郎である。(10)

と書き連ねたのは、田中千禾夫であった。この言葉も示しているように、三好十郎の覚悟には、受動の主人公を作り出す要素というのか、思考の回路が、横たわっていたのではないか。

＊三好十郎（一九〇二〜一九五八年）劇作家、小説家、評論家。佐賀生まれ。早稲田大学英文科。マルクス主義などによって、プロレタリア劇作家として評価される。政治の優位性の演劇運動に嫌気となり、内面的苦悩を描く作品や中間演劇の作品も書く。「炎の人」「冒した者」などによってリアリズム戯曲を開拓。評論集もある。

▼椎名麟三　その1「第三の証言」（一九五四年）

「第三の証言」は、椎名麟三の初の長編戯曲。青年座の旗上げ公演であった。椎名は、十五歳で家出、出前持ちなどから職業を転々、十七歳で就職。宇治川電鉄の乗務員だったそうである。その宇治川電鉄の細胞キャップであったが、一九三一（昭和6）年二十歳の時、逮捕され、二年間獄中生活を送る。一九五一（昭和26）年日本基督教団上原教会で洗礼を受ける。小説は、一九四七（昭和22）年に『深夜の酒宴』が発表されている。椎名は、ドストエフスキーから学んでいる。小説家であるが、劇作（戯曲）作品も書いている。『椎名麟三全集』の〈戯曲篇〉では、二巻に分かれ、一巻目は、戯曲七本、二巻目は、九本である。「第三の証言」は、死ぬという事の感覚をもたない敏子という精神薄弱を相手に、新入工員の飯田新三が首吊り実験をしているのが、幕開きである。ビスケット工場が舞台であるが、何故か、ねずみが次々に死んでいく。不可思議に思った飯田新三が、保健所を通じて調べる。毒を有するのがビスケットの粉と思い、みんなに訴えるが、相手にもされない。

新三　何がほんとうなのか、さっぱりわからなくなった。まるで追いつめられたねずみになってしまった。ほんとにまるでこの世の関節が外れてしまったみたいだ。ただこの上は、こんなあやしげなところにとどまるか、それとも出て行くか、それが問題だ。……そうだ、とにかく出て行けない。友ちゃんを殺してしまったいまとなっては……。といって、とどまっていることも出来やしない。この工場は、どう考えても不正な仕事で儲けているとしか思えないからだ。重盛が進退ここにきわまれり。どうして自分は、こんなせっぱつまったとき重盛なんて用もないことを考えだすんだろう！(11)

新三は、絶望的な言葉を発する。第二幕のラストのせりふがこれであるが。

余談ながら、このせりふ、少し椎名が遊んでいる要素があるのはお判りと思うが。「この世の関節が外れてしまったみたいだ」は、シェイクスピアの「ハムレット」の有名なせりふであり、「とどまるか、それとも出て行くか、それが問題だ」というせりふも「生か死か、それが問題だ。――(近年の翻訳は) このままでいいのか、いけないのか、それが問題だ。」。これも「ハムレット」だ。さらには、「重盛が進退ここにきわまれり」という平家物語の人物まで登場させるのは、いささかやりすぎといおうか、お茶目な椎名といおうか。

最終幕の第三幕に、ついに新三は、芝居をしかける (賭けに出る)。先輩工員同士のお祝い (結婚) パーティにケーキを出し、職場のみんなが食べたところで、このケーキは、この工場の粉でつくらせたものだと言う。みんなはトイレに吐きに行く。いつ死んでもよいと言っていた梶原一郎に新三は「やはりあなただって、死ぬのは、いやなんじゃありませんか」と言う。

新三　ぼくは、ぼくは、あなたがたみんな、どんなにおこっていられるかしっています。だから、ぼくは、ぼくは、もう覚悟をきめています。いえ、覚悟はきまっていたんです。(略) あなた方は、……あの粉が毒ということを。ねえ、お願いです、今後は、いいビスケットをつくって下さい！　殺人ビスケットじゃなくて、栄養になるビスケットをつくって下さい！　お願いです！(12)

新三の「ぼくは、ぼくは、もう覚悟をきめています。いえ、覚悟はきまっていたんです。」という、決まっている覚悟とは、何か。彼は奥の菓子場で首を吊るのである。手を叩いているような音がして、敏子がいつものように踊る。しかし、その音は、首を吊った新三の足を攪拌機が叩いているものであった。敏子の母のあやが、「ばかよ、ねず公（新三のこと）は、表へ出て、助けてくれえとみんなにいえばよかったんだのに。みんなに助けてくれと……」というようなせりふがあって、「あや、去る。舞台では、敏子ひとり、にこやかにおどりつづけている」、のト書で幕である。新三のみではなく、現代に生きるさまざまの人間の矛盾が描かれていた。だが、新三は、寡黙でもなく、受け身のみではない、積極的に工場の人々の間違いを正そうとする。保健所へも問い合わせ、調査し、ねずみの害を除去しようと行動する。主人公・飯田新三青年は、受動的人間とは言えない気がする。クリスチャンである椎名だが、飯田新三はみんなに働きかける行動をとる人間として描かれているように思われる。それ故に、劇的行動者という側面の方が強く感じられる気がするのだ。

椎名麟三　その2「生きた心を」（一九五六年）

この世に生きる意味があるのかと疑いたくなるような人間たちの登場である。山地善太郎一家の全員が死のうとしているところである。そこへ数年前に家出した千枝子が、突然帰ってくる。貧乏なこの家庭に、金持とふれこまれた千枝子の登場によって、この死にかかった一家が、生き生きと蘇る。

善太郎　死ぬということは、眠っているようなもんだそうだ。渡し場のじいさんがそういっていた。若いときは、死ぬということがこわかったけど、いまはそうでもない。(13)

と、死ぬことばかりをしゃべっていた父親が、

善太郎　うん、明日は、早くから川へ行って見ようと思うからな。しかし千枝子、いまに貫四百円で買わせるようにして見せるぜ、そうすりゃ、日に千円になる、川へ出さえすればなあ。チョイとしたサラリーマンだ。(14)

突然のように前向きな生き方に変って行っている。博打をし、昼間から酔っぱらって帰ってきていた息子も、「篠崎の工場へ通っているんですよ、免許状がいるんで、溶接の技術を見習いに」と言うように、家族に変化が起こる、千枝子がお金を持って帰ってきたために。

だが、千枝子の金持は、嘘であるのだ。しかし、この嘘が、毒薬を飲もうとしていた家族に、よい薬になるのだ。千枝子は、家族一家を受動的に眺めて、嘘を役立てる。その意味では、千枝子は、この家の救世主になる。だが、嘘は底流にあり続ける。千枝子は、加害者の立場になる。肯定的な存在と思いや、千枝子の姿は、二面性を持った矛盾した存在である。

作者の現実への眼は、受動的な主人公をつくる一面的な現実は考えられず、矛盾のままに置かれた残酷な現実、矛盾状態にある主人公を捉えることにあったのであろう。

＊**椎名麟三**（一九一一～一九七三年）　兵庫県生まれ。ニーチェ、キルケゴールを耽溺し、ドストエフスキーに傾倒した。「深夜の酒宴」で戦後派代表作家へ。思想的に苦悶しキリスト教の洗礼を受ける。「美しい女」で芸術選奨文部大臣賞受賞。実存主義的な観念劇を書いた。注目された戯曲も多い。

▼田中千禾夫　その1「肥前風土記」（一九五六年）

作者によれば「信徒の多い浦上の真上に原爆が閃いたこととの結びつきから強く掻き立てられた」ということによって書かれた「肥前風土記」は、幕末から明治初めに、長崎に暗雲をもたらした切支丹弾圧の物語である。ばあてるを慕う隠れ切支丹たちのところへ、浦上の庄屋を勤める助谷権九郎という伴天連を取り締まる男が、ばあてるや村人たちに眼をつけ、割り込んでくる。

助谷　ええい、フランスじゃろうとオランダやろうと、毛唐の坊主とかかわり合うてはならん。さて皆に申しつくることがある。浦上の檀那寺、聖源寺本堂の大屋根が、この間の梅雨の長雨で崩れ落ちた。今のうちに修繕せにゃ腐って崩れるばっかりじゃ。そこで和尚と相談して檀家一同から何分の喜捨を受くることにしたぞ。

（一同動揺する）

作右衛門　恐れながら庄屋様。ああたも浦上に長う住んで、おったちのことはよう知っとらすとに、今になって急にそんげん無法な……。

助谷　日本国民として、また将軍様のおめぐみで安楽に渡世なす百姓なら、先祖代々、浄土宗の門徒なら……

助谷　なにが無法か。当たり前のことばい。

忠次郎　お上のご用なら何ないとも身を粉にしてもするとばってん、

弥吉　宗旨のことだけは、

助谷　宗旨のことだけは？

作右衛門　今までおうちは、見て見ぬ振りばしてくれたじゃなかですか。

助谷　な、な、なんじゃ。この権九郎が、わったちの味方じゃと。なんば言うか。けしからん。聖源寺本堂寄進のこと、きっと申しつけたぞ。(15)

聖源寺本堂寄進のことを強要してくる。宗旨が違うのは当然であるが、助谷の仕掛けは改められない。そこに居合わせた辰之助は、

辰之助　……さて、皆……俺は今日から切支丹ばやめた。切支丹は転んだぞ。

一同　やあ！

（一同、辰之助に詰めよる）

辰之助　生まれるとすぐ、ばうちぞもの水ば授かって信者にされた。何のためにそうされるかもわからず、ただ先祖代々そうしとるからちゅうだけで、親の言いなりに切支丹にされた。ばってん、よう考えてみっと、おかしかことだらけたい。俺はもうちっと考えてみたか。じゃけん、切支丹はやむっとじゃ。俺はもう浦上がいやになった！（16）

そして辰之助は「俺の欲しかもんはぜぜすじゃなか。……神が創り出すもんじゃなかと。人間が、自分で創り出すもんのことばい」と言い切る。

以上、これらは第一幕で演じられるが、二幕は、なんと三つの丘の会話である。「……頂きは、遠く近く、三つの丘に分れ、円い頭が、中央と右と左と、のんびりとならんでいる。後年、その丘の中腹に天主堂が建つであろう」ということがト書に記されている。

右の丘　（あくびをする）あ、あ、あ！

中の丘　しーっ。

左の丘　しーっ。

中の丘　では……でうすぱあてる・われわれんたまい、

右の丘・左の丘　でうすぱあてる・われわれんたまい、（17）

こんな対話があって、七つの罪科の源《いずみ》なる七つの科のことが、語られる。〈高慢、貪欲、邪淫、嫉妬、忿怒、貪食《とんじき》、懈怠〉、といった対話が続いて終わる。

第二幕は、短い。隠れバテレンの前に助谷が来る。助谷「ほほう。皆の衆、お揃いか。手間がはぶけてちょうどよかばい。はは……聖源寺の寄進ば断り、精霊船は出さず、亡者の葬をほしいままになしたるは、これご禁制の切支丹なり。よって召し捕る。それ、縄打てえ」と言って捉えに来る。そでは、ぱあてる様を逃がそうとする。が、助谷はぱあてるの存在を嗅ぎつける。

第三幕の〈なみ〉と〈そで〉の対話は見事である。妻を亡くしている辰之助との三角関係がもろに浮き上がり、面白い。

そで　ふん。まあだ切支丹の志は残っとっとみゆる。そんなら、もちいと分別ば立てにゃならんことば教えてあげまっしゅ……おなみさん、切支丹の女子はな、切支丹の男でなか人とは夫婦にはなれん。

なみ　ああ！

そで　あんしゃまはもう転び切支丹で、転び証文もッ庄屋に届けた。じゃけん、おうちとあんしゃまとは夫婦になれんことは知れたことばい。どうへ。こんだこそはっきりとわかっつろう。ふふ……。

なみ　（決然と）なるっとも。

そで　なれん。切支丹の掟が許さん。

なみ　なるっとも。

そで　なれん、なれん。

なみ　うちも切支丹ば転べばよかでしょ。
そで　へ、おうちが。
なみ　そうたい。
そで　ふん。先祖伝来の教えば捨つると言わずとか。
なみ　うちも切支丹ば転んだ。今夜にでん庄屋に届けてやる。（叫ぶ）転んだ、転んだ、転んだ。(18)

二人の言い合いに疲れた辰之助は、二人に女身像の剥製を見せる。それは辰之助の亡き妻・こい、であった。美しい裸身の像であり、辰之助は自分の神というが、しかし、金にする、つまり、売るという。船を買って、世界の果てに行く、と言う。辰之助の家に潜んでいたぱあてるが怒り出る、

グランピエル（ぱあてる）　この外道！　いどらあとる！
辰之助　やっ！
グランピエル　天を怖れず人を尊ばず、自我《エゴ》の妄執に憑かれし鬼！
辰之助　鐘馗《しょうき》さんのガランベエか！
グランピエル　去れ、汚れた偶像！　異端の女神！　てんたさんの蛇！
辰之助　ま、お静かに。目の保養ばい。他ならぬおうちには、とっくり、ただで拝ませますけん、もちっと近寄って穴のあくほどようお見まっせ。
グランピエル　異端の悪魔。利欲に迷うて恥を失い、犬畜生にも劣る所行！(19)

二人の怒鳴り合いが、いつしか、論争に変る。

グランピエル　否、否、ぜぜすの作りたまいし万の作物、天地万像のうち、ナツウラとはそのなかの僅かなる部分に過ぎず。万事叶いたる天主の御ちえは宏大にて、わたくしどものかりそめに計り能うところにてこれ無く候。たとえば汝のその色身たりとも、汝のちち、ふはふは（母）御作のものの力と思うは浅慮にて、ひとえにぜぜすの御じひの上より、ぜぜすの恩寵をもて作られるを。

辰之助　ふふ、恩寵、恩寵か。むかむかして来る。俺はな、別に生んでくれて頼んだ覚えはなかばってん、お父っつぁんとおっ母さんが誰でんするごたることばしたおかげでひり出されて来たとじゃ。

グランピエル　（眉をしかめ）おう！

辰之助　太うなってからは、この自分の腕の力で生きて来たと。恩寵におかげとやらんは知らんばい。

グランピエル　そのような分別こそ、罪科の源ある七つの科の第一なり。辰之助殿、これが最後なればよう聞かれよ。己が力とのみ恃《たの》むこそ、すなわち、傲りたかぶる高慢の悪。やがて己れ自らを恐れず、精神の在りか乱れ狂い、果ては身を滅ぼす基にて候ぞ。

辰之助　高慢て言わすとか。(20)

今度は、いつしか、そでとなみの論争に変る。矛盾あるいは平行線を残しながら、第四幕へ入って行く。作右衛門はじめキリシタンの人々が、捕えられ、奉行や侍の前に、引きずり出され、お調べである。奉行の説得もむなしく、拷問の甲斐もなく、転びバテレンは転ばない。最後に、そでが入ってくる。

そでの声　痛かばってん、もっと、もっとひどう叩きまっせ。そるより腕ば捩じ曲げるなり逆さに吊るすなり、拷問にかけてくれまっせ。うちの罪がこのくらいで許さるっとは思わんばってん、こっで少しは人間らしゅうなった。この半月、うちは間違うた自由で苦しかった。うちはやっぱ切支丹の掟にしばられて、善かことばして、魂はぜぜす様にお任せしとるほうがよか。そのほうがどげん自由で、人間らしかかわからん。さ、よかけん、もっと叩きまっせ。叩いて、叩きのめしてくれまっせ。大の男が三人も四人もおってできんとか。

（そで、よろめきながら姿を現し、倒れ伏す）

真哲　男かしゃんて思うた、ふふ……。

そで　痛かけん、悲しかけん、泣いとっとじゃなかとぞ……嬉しかけんたい。自由に切支丹になれて嬉しかけんたい……嬉しかけんたい……嬉しかと……嬉しかと……。

（部屋内の四人の同宗者は感動し、女たちは涙を流す。助谷は頭をかかえて、隅に行って打ち伏している。）

真哲　ふむ。世も末か！　……自由！　自由！　おかしか言葉がはやって来た……なむあみだぶつ、なむあみだぶつ……

（鼓笛の楽の音、長閑《のどか》なうちに。――幕――）(21)

切支丹たちの、ここでは、そでを中心に、肉体的苦痛の果ての信仰、あるいは、自由とは何かを問われているような第四幕ラストである。第五幕、終景は、長州萩で六十人、津和野で三十人、備後福山で二十人、切支丹たちが流される。まさに、きり・死・たん、たちである。辰之助は、妻・こいの剥製を運ぼうとするが、キリストらしい人にはばまれ、長持の中は空になる。こいの声にさそわれるが、弾に当たって、川に落ちて消える。然し何故かその時「ぜぜす！」と救いを求めるかの如く叫ぶ。そしてキリストに似た〈黒い外套に白い衣の男〉が言う、

黒い外套に白い衣の男　さあれ今こそ、まことの生命、とこしえの生命の尊きを、今こそきっと知り申してござる。主よ、より高き生命の音をこそ……より高き……そは、すべてなにごとも天主にゆだね、平らかにへり下り、私を去りて隣人の身に想を馳せ、常につつましく……つつましく……(22)

村人たちが数珠を手に膝まづいて丘を見上げて歌っている、ところで幕になり、すべてが終わる。長崎の人々の矛盾に満ちた姿が描かれているが、切支丹たちは、みんな受動的である。神を信じて死んでいく。お上のもろもろの命令を守っても、転ぶことだけは――宗旨を変えることだけは、しなかったのである。しかし、受動的ではあった。状況の受け入れはあったが、受動から能動に変る契機はなかった。いや、この時代には、受動の素晴らしさに気づく発想は、村人たちには、なかったようである。しかし、神に対峙したためか、受動的であった。だが、田中千禾夫には、攻めの思想が強かったのか。

田中千禾夫は、カトリックに関係する作品を多く書いている。それ故、カトリック作家と思われている。確かに、カトリックを信じていた作家には違いなかった。ところが、「肥前風土記」は、一九五六年（五十一歳）の作品で、受洗したのは、なんと、作家活動をほとんどなしていない、一九八八年（八十三歳）に入信したのである。逝去は、一九九五年（九十歳）であった。

田中千禾夫　その2　「マリアの首」（一九五九年）

一九五八（昭和33）年に長崎の浦上天主堂の廃墟の撤去が決まった。それを背景にした社会性の強いドラマと思いたいが、カトリックを通じて人間ドラマを書いて来た作者ゆえ、独自な展開がそこにはある。四幕構成だが、特に一・二幕の忍という女と、鹿という女の形象が素晴らしい。忍は、病気で寝ている詩人の夫のために夜、夫の詩を売り、客引きをしているような女だが、誰かを探しているようだ。鹿は、昼間は看護婦として働き、夜は身を売っている。鹿にはケロイドがはっきりみとめられる。

忍　今夜もあたしは立っている。（略）スカートの下には白鞘の短刀、預かりもののこの刀、元の持ち主に返すべきこの刀。しのぶ、しのぶ、しのぶはあたしの名。あの男を見たら、そっと近寄り、ぐさっ！（略）何物かを

あたしに預けた男、断りなしに預け去った男、あの男が憎いのだ。だからあたしが、あの男を殺さねばならぬ、（略）

第二の男　ああ。半紙に毛筆でしたためて、かんじよりで綴じて、千代紙の赤や紫や緑や金粉で表紙を飾ったこの手作りの本が好きですたい。

忍　……

第二の男　おうちの手かな。

忍　はい。恥ずかしか。

第二の男　なかなかどうして。しっかり習うたお手じゃ。今どき見られん筆のさばきですたい。……どっからどこまでん作ったお人の肌のぬくもりがそのまま残っとるごたる！

忍　これは死んだうちの母の好みです。そう、すべてうちの手垢に滲みとります。うちの血の一たらし、二たらしくらいはなりましょう。

第二の男　わしは残念ながら貧乏で、人の情を買うことなどできかねる。三十円ぽっちの金で、おうちの情ば買うつもりはなかとです。

（略）

忍　どうせ行きずりの慰めに。

第二の男　いや、そんげん言わんでくれまっせ。ありがたかとです。おうちはわたしにとって、しばし、束の間の恵みですよ。

忍　恵み。

第二の男　はい。どうせ、長持ちはせんでしょ、ふふ……（略）

忍　待って……もし、その、おうちの感謝がほんもんなら……。

第二の男　はい。

忍　おうちに内密に頼みのあります。
第二の男　わしに、このわしに。
忍　はい。……ね、もし、雪の降って積もる夜のあったら、
第二の男　雪の？　めったに雪は降らんところ、ここは。長崎は。
忍　それでん、もし、雪の降って積もる夜のあったら。
第二の男　あったら？
忍　浦上に来てくれまっせ。
第二の男　浦上に。……おうちの家に。
忍　うんね。浦上の天主堂に。
第二の男　天主堂！　耶蘇のお寺。
忍　はい。火の風に焼けただれ、崩れ落ちた天主堂の玄関に。マリアの首のおいてある玄関に。(23)

最初で彼女の目的が明白になっている。鹿も客はとるが、目的からは外れない。

第四の男　島原かあ。そうすると君は、つまり、唐行きさんの子孫てことになるな。
鹿　そう、唐行きさんね。
第四の男　島原にしろ、天草にしろ、南国の人間で自由の天地ば求むるやつは、昔は切支丹になるか、明治大正では唐行きさんになって大陸か南方に渡るか、どっちかってわけたい。
鹿　うちも煙草。
第四の男　あ。さて、アプレゲールはどうかな。
鹿　パンパンになっとでしょ。

第四の男　はは……ばってん、君のごたる上品《ぼん》は僕も始めてばい。耳の悪かとなら僕がよかお医者ば世話しうか。
鹿　ふふ……。
第四の男　ね、どうかね、オンリーにならんとかね。
鹿　？
第四の男　つまり、月定めってやつさ。そんかわり、
鹿　たっかですよ、うちは。(24)

簡単には、男になびかない。悲しい人生ながら、自分の生きる道は、持っていると言える。二人は、被爆犠牲者であるが、浦上天主堂の廃墟からマリア像を盗み出そうと計画している。それが、このドラマの主筋であるが、彼女たちに絡む多くの人物がいる。悪徳医者、与太者次五郎、愛児を戦争で失った印刷屋、原水爆反対運動をしている青年、夜の女のところを訪れる男たち。
忍、病院へ手術に入っている次五郎に出会う。

次五郎　……女、そばに来て、よう顔ば見せまっせ。
忍　さ、よう見まっせ。
次五郎　その子供は……俺の子供か……そうじゃろ。
忍　ああ、おっ母様！
次五郎　そうだな。
忍　ちがう、ちがうと。
次五郎　そうか。せめてそうだったら嬉しかとさ、俺は。人並みにな。

（略）

忍　そるがどうしたと。そんげん女子でん、自由に憧れながら、どんげん苦労ばしてきたか、おうちたち男は知っとらん、わかっとらん。

次五郎　苦労？　冗談じゃなか。あいつらほど自由な人間がおるもんか。だから世の中から弾き出されるっとさ。

忍　うんね、そら、

次五郎　一ぺん自由の味を覚えたら、それまでたい。世の中が仮のちゅうことが分れば、自分だけが責任のある行ないばしったってつまらんもんな。責任のなかところに、まことの自由のなかとは当たりまえ。（略）

忍　死ね。うちの自由ば奪った罰じゃ、死ね。ああ、こるでやっとうちは自由になるっ、自由に。

次五郎　どうもわからん。死ね、とか、自由とか、いったい、おうちと俺とどげん関係のあるて言うとか、え。

（忍、やにわに短刀をもぎとり刺そうとする）

次五郎　その答えが……これか。

（しかし、忍……できない。刀を捨て、その膝にすがりながら）

忍　いっそのこと、うちば、うちば……。(25)

忍は、最後に、「おうちが……好きです」と言ってしまう。そしてラストシーン、浦上の天主堂の場面に行きつく。（その前に、余談ながら、桃園の朗読がある）

桃園　あの男が憎いのか、
憎むほど愛しているのか、
何者かとは何だ？
今、俺は、それを解決せねばならぬ。
何物かとは……

魂か……
肉か……
それとも……自我か。
……
そのときしのぶ少しも騒がず、
忍　そのときしのぶ、大いに騒ぎました。(26)

このとき、〈しのぶ、少しも騒がず〉というフレーズと〈そのときしのぶ、大いに騒ぎました。〉というフレーズが印象に残っている。言葉のリズムか。

さて、ラストのシーンである。めずらしく雪の降る日、浦上天主堂のマリアの首に到達する。忍と鹿である。その他に、第四の男と第三の男がいる。忍と鹿、二人はこの日の来るのを、じっと耐えながら、待ち続けたのである。彼女らの待ちつづける受動的態度が貫ぬかれたのである。

鹿　うちの秘密のかくれ家にお移し申したマリア様は、またいつの日か再びご出発なさるってしょ。その日までは。
第二の男　いつの日かとはいつの日へ。
鹿　それは、
三人　（振り返り）あっ。
忍　鹿ちゃん、来とったと。
鹿　それは、不安のなかにその日ば暮らす弱か人間が、再び戦《いくさ》に導かれようとすっとき。
第二の男　ああ！
鹿　マリア様、こうして十字を切ってお祈りする資格のなかことはよう知っとります。知っとります。ばってん、あなた様、ケロイドのあなた様は、あの八月九日の火と風との永遠の証人としてぜひとも入用《にゅうよう》ですばい。あの秘密の部屋にお移りば願うて、うちたちの憎しみの焔、常夜の燈を掻きたてて下さらねばならんとです。お願いでございます。(27)

鹿が、はじめてか、〈弱か人間〉と言う。その弱か人間が、受動の姿勢をずっととってきたのである。鹿は、「うちはここでお祈りばしとる」と言う。残る三人で、よいしょ、こらしょ、と言ってマリアの首を運ぼうと試みる。鹿は、受動そのままである。最後の忍一人が受動の能動と言えようか、マリアの首にとりつき、渾身の力をしぼって持ち上げようとつとめる。ここで幕が降りるが、マリアの首が持って行けたか、言葉を変えれば、マリアの首が動いたか動かなかったか、定かではない。その判断は、観客に委ねられたのであろう。

(記憶の奥にあるので、不確かなことであるが、初演当時の台本では、マリアの首が「動いたようでもあるし、動かなかったようでもある」と記されていて、それで幕となっていた。という記憶がある。が、初演台本が手にすることが出来ず、今回確かめられなかった。あったとしても、このカットは、見事なカットと言えるだろう。観客にその判断を委ねるというものだから。このト書がそのままあれば、作者のト書にとどまり、作者の自己満足だったかもしれないからだ。)

田中千禾夫の「マリアの首」の忍と鹿の形象は、受動的主人公が姿を見せたと、最初に思われる作品だったように思われた。

***田中千禾夫**(一九〇五~一九九五年) 長崎生まれ。慶応義塾大学仏文科。岸田國士に師事。「おふくろ」で認められる。「劇作」同人。絶対者と対決する魂のドラマ「マリアの首」「千鳥」など名作を書く。劇作のみ止まらず「物言う術」や「劇的文体論序説」の著書がある。演出も多くしている。

▼田中 澄江 「がらしあ・細川夫人」（一九五九年）

劇作家・田中千禾夫夫人。学生時代からキリスト教の素地はあったらしいが、カトリック信者を登場させたのは、この作品が初めてらしい。なお、受洗は一九五一年。ガラシャ（光秀の娘・玉）の最後は、あまりにも有名だが、果たして実像はどうだったのか。田中澄江は、どう捉えていたのか。

第一幕第一場は、明智光秀の娘、玉の輿入れである。そこへ高山右近が来る。キリシタンの問題が伏せんのように沿わされる。玉は大きな城に住まいするより平凡な幸せを望んでいる。父・光秀がえらくなるより、えらくなれば、また誰かに負かされる、それより高山のお守りを持つことをすすめる。だが、光秀は、自分は目に見えぬもの（デウス）より、自分の剣の力を信じる、と言うようにキリシタンからは距離を置く。そこへ信長がやってくる。八上城を落とせない、落とすために、信長は光秀に、叔母を人質に差し出せと告げる。さり気なく玉の背景が描かれる。

第一幕第二場、細川忠興の妻になった玉。丹後の宮津城。二人の部屋。天正十年六月。玉、二十歳。人質になって亡くなった叔母の三周忌に禅僧を呼ぶが、忠興はまもなく中国の毛利征伐に出陣しなければならない折り故、縁起でもないお経だと忠興が苦情。夫婦の愛憎入り混じった会話。まもなく、光秀が信長謀反の知らせ（本能寺の変）を、忠興の弟・興元が知らせる。

第一幕第三場、茶室。幽斎がお茶をたてている。

興元　父上……では当家は、予定通り京表に援兵を差向けることになりますな。

幽斎　お前ものめ。一口のめば忽ち仙人となり、風に乗って、飄然と霊界に飛ぶ思いがするのも茶の功徳だ。

興元　こうしている間も、明智殿が事変の収拾に心を労されていることを思えば……とても茶などのどには……。

幽斎　お前は明智の息子か。いかにも当家の嫁は、右府殿にすすめられて明智から貰った。右府殿あっての嫁なのだ。今はそれも亡きとき、嫁の縁につながれて清和源氏の流れを絶やしては、祖先の霊に顔向けはできぬ。

忠興　すりゃ、父上には明智殿の勝利を……

幽斎　（小刀をとって自分のもとおりをぶっつり切る）明智の勝敗は知らぬ……まず右府殿の冥福を祈ることそ武士の本分であろう。

興元　明智殿はわが細川と共に、いくさを進めて天下を平定せんとのお気持では。

幽斎　うるさい……父はもはや俗世の因縁は断つ……（28）

息子たちは、父親の言い分に矛盾したものを感じながら、従わねばならないだろう。幽斎が明智光秀の期待を裏切ること、三日天下の状況が暗示される。

第一幕第四場、味土野《みとの》の山中のお玉（幽閉？）のいる山伏寺。忠興の弟・興元がやってきて、明智光秀が敗れたことを伝える。姉に死をすすめ、自分も切腹しようとするが、姉は同調しない。彼は裏切られた思いで去る。玉は「興元殿にせかされて死ぬのがいやだった……宮津のお城を出た日から……実はいつ死のうか、今日か明日かと考えない日はなかった……口惜しいのはね、あのとき父を助けに行けないとわかった時、あの場で死なかったこと……父が敗けるとはまだあの時思いもよらなかったの。この宮津にきてからも毎日祈っていた……今は死におくれて見る影もなく、落ちぶれ果てた気持」と語る。

玉　こんな恥ずかしい暮らしをしながら、誰のために生きるというの？

小侍従　お子様方……殿様……いいえ、何よりもあなたさまのため。

玉　子どもたちは細川家のものでしょう……殿様はわたくしよりお家が大事……。

小侍従　奥様……この世の誰にいやしめられても捨てられても、奥様のおん上をあたたかくやさしく見守って下さるお方があるとしたらどうなさいます？　いいえ、そのお方はいらっしゃいます……目にも見えず、耳にも聞こえずともいらっしゃいます。

（中略）

小侍従　憎しみに生きるより、許しに生きようとその方はおっしゃいます。……まことの神、デウスとおっしゃる。

玉　（笑って）あなたはキリシタン……（29）

そこへ、貞次郎という若者が、玉に蛍を取ってくる。優しい若者の心使いもつかの間、帰ってきた忠興が、玉の近くにいる貞次郎を、無礼者と言って、斬ってしまう。玉は、一晩貞次郎の横で過ごすと言う。

忠興　何と？　お前は、おれを恥ずかしめてもこの若者をいたわりたいか。…………家も大事、お前も大事……二つに迷うおれのぶざまさをお前まで笑いたいか、笑いたいか……。（30）

夫婦、迷うところで第一幕が終わる。玉が忠興から離れて行く様。しかしあくまで忠興は夫である。第二幕第一場は、細川の屋敷（大阪玉造）。玉が味土野から帰っている。高山右近が訪問してくる。地球儀を持参する。世界を見る目を忠興に申し、玉造にできたキリシタンの聖堂を訪問することを告げる。太閤殿下も訪問されることになっているときいて、忠興も行くことにする。高山が訪問しているところへ興元がやってくる。そしてキリシタンの教えを請いたいと言う。

興元　（前略）右近殿唯一絶対に遺えぬ場所に立てるものでなければ、安んじてその戒めを身に課することが、出来申さぬのではないでしょうか。

右近　（輝いて）お身は仕合せなお方じゃ。人間の弱さを知りはじめたとき、デウスのみこころははじめてあたたかくやさしく、その弱い傷口からしみとおるのです。

興元　弱い。本当にわたしは弱い。右近殿、今はじめてその言葉をくちにしました。弱いなどと自分から云うのは死にまさる恥と教えられて来たのですが（以下略）(31)

ここでの右近と興元の言葉が興味深い。〈弱さ〉と〈デウス〉が結びつくようだ。右近は「人間の弱さを知りはじめたとき、デウスのみこころははじめてあたたかくやさしく、その弱い傷口からしみとおるのです。」と言い、興元は「弱い。本当にわたしは弱い。右近殿、今はじめてその言葉をくちにしました。弱いなどと自分から云うのは死にまさる恥と教えられて来たのですが」と言う。興元は自分の実態をさらけ出す。姉・玉への恋も、だが人がくるため途切れる。小侍従がきて、高山に、玉がキリシタンに入信する旨を伝える。聖堂へ行く忠興は、大きなクルスを胸につけてくる。勿論、聖堂へ行くための飾りであるが。

第二幕第二場は、二年後。玉造の教会。キリシタンへ近づいた玉。信仰へ向かう信念の強さを覗かせるが、

玉　わたくしは強いおひとにあこがれております。そのような夫になってほしいのでございます。この上はデウスさまのお力こそ望まれます。ま……わたくしとしたことがはしたない……お許し下さいませ……。(32)

夫への正直な現世的な期待の言葉が口をつくが、すぐに訂正される。この場は、作者の、ガラシャに心入れる信念のようなものが立ち上がっているようなシーンである。そのことは、忠興の家来・小斎の、玉を見つけだしたときの玉の言葉にも現れている。

玉　小斎殿……何も嘆かないで。わたくしが望んで、やっと今、どこよりも一番先に自分の来なければならなかったのはここだとわかって、(33)

玉は、キリシタンの寺に案内されたことを喜ぶ。夫・忠興との距離が出来てもキリシタンの道へ。第二幕第三場は、細川の屋敷。天正十五年秋。玉、二十五歳。興元が、秀吉のキリシタン追放を知らせに来る。高山も追放された。玉は、洗礼を受ける。忠興が帰ってくるが、デウスの弟子になった玉を嘆く。玉は晴れ晴れしく、〈がらしあ〉という名をもらったことを告げる。玉は、この世に生を受けた人間同士、〈同じ〉人間だと言うが、忠興は同じ人間ではないと言う。玉は、男と女の違いがあるだけだと。細川幽斎が来る。忠興は、玉がキリシタンになったことを父が怒ると思いや、すでに太閤は知っていて、玉に会いたいと言われたと幽斎は上機嫌である。

第二幕第四場は、秀吉の部屋。玉が秀吉のもとに伺う。

秀吉　用というのはな、一言ききたいことがあったのじゃ。それほど命を失うのが惜しいキリシタンなら、これをあぶり殺したりはりつけたり、死刑にかけるといえば、その教えは捨てるであろうな、仏門にでも神道にでも帰依するであろうな。

玉　いえ……喜んで死んでゆくであろうと存ぜられます。(34)

玉は、殺されるのならば、父の七回忌供養に、舞うという。打掛を脱ぐと、純白の衣裳であった。玉の覚悟が見える上手な書き方である。しかも、歌いながら舞うのである。玉の抵抗が描かれる。羽柴殿と呼ぶが、おれの名は、関白太政大臣豊臣秀吉というのだ、と。玉は返して、〈がらしあ細川たま〉、と答えてこの場が終わる。粋な終わり方である。

第三幕は、一場・二場のみである。十二年後とその二カ月後が両舞台である。忠興、玉夫婦は、立場が違えども、仲睦まじい夫婦である。玉の貫くキリシタンに忠興もいつの間にか認め出しているようである。しかし、世が変わり、秀吉が亡くなり、家康が伸びてくる。そして石田三成が、徳川と対立し、玉は、石田に招かれる。

東国勢に付いた大名の奥方を呼び集めて、人質にするというのだ。ただ、玉は三成を信じ、徳川を疑う。「徳川殿の天下のもとでは忠興はキリシタンにはなれませぬ。玉の一生の望みは夫とともに信者になること」と玉は言う。その時、三成方が三百、門を固めた。家来は、玉を逃がそうとするが、玉は、「わたくしは逃げませぬ」と言う。忠興の手紙に記された「あの、殿がわたくしに死ねとな……キリシタンは自ら命断てぬと知られて、首をはねよとな」と述懐して玉は、「死にましょう」と言う。しかしカトリックは自分で死ねないので「自分で死ぬことはかなわぬ故、そなた手をかしてたもれ」と小斎に言う。玉は、焔の中に燃え尽きるようになっていくのがラストである。（他の作品では、自分に槍を突かせる場面が多い）

主殺し明智光秀の娘と言われても強く生きるが、その主殺しの父を愛し、キリシタンになることを拒んだ夫をも愛し、こどもたちも、すべてを愛しつづけた玉は、その生き方こそが、苦しい一生を背負った姿であり、キリシタンとしての、すべての人と対峙する姿勢があったが、最終的ではあるが、人を受け入れる受動の愛に満ちた姿があったと思われる。ということは、作者・田中澄江が描こうとした、がらしあ細川夫人は、能動性と受動性を合わせ持った女性であったのであろう。

＊田中澄江（一九〇八～二〇〇〇年）　東京生まれ。劇作家。田中千禾夫夫人。劇作同人。東京女子高師国文科卒、聖心女子学院教諭。後、京都に移り住む。「つづみの女」「京都の虹」「ほたる歌」「鳥には翼がない」など男女間の心理を描く。

▼秋元　松代　「常陸坊海尊」（一九六四年）

一九六四年に書かれた「常陸坊海尊」は、三年後になってやっと上演された。ところが、三年間も見向きされなかった作品が、近年にない作品として評価された。確かに、劇的行動者が主人公となるそれまでの戯曲概念では、何がよいのか、解らなかった作品らしかった。しかし、幾人かの見識者が、この作品は素晴らしいと発言し、そのことによって「演劇座」という劇団が、上演することになった（演出高山図南雄）。上演は多くの注目を集めた。例えば、「反権力としての民間伝承」と題して武井昭夫が書いている、

一九六七年の新劇世界をふりかえってみて、もっとも心に残る舞台は、秋元松代作「常陸坊海尊」の演劇座による上演であった。この戯曲には、常陸坊伝説を媒介にして、こうした伝説を生みだすことによって辛うじて生きぬいてきた底辺の人々の悲痛な姿が、見事に描きだされていた。そして、底辺に生きる人々の悲痛な魂の叫びをとおして、彼等を虫けらのようにおしつぶし、ふみにじり、おいたて、しかも忘れ去ろうとしている日本の近代――天皇制と戦争と戦後資本主義と――が、まさに痛烈に糾弾・告発されているのを、私は読みとることができた。(35)

武井は、劇評家ではないが、思想運動家であるが、劇評も沢山書いており、この評価は、この作品に心を寄せた人たちの思いとも重なるであろう。

敗戦が濃い、一九四四（昭和19）年、東北の山村に集団疎開した児童の、啓太と豊が、山の中に住むいたこのおばばと美しい雪乃という女性に出会う。おばばは、ミイラになった常陸坊海尊のお守をしていると。小学生たちは、苦しいことがあれば、「かいそんさまあ」と呼ぶことを教わる。海尊の成れの果てが現れて、

海尊　この常陸坊海尊は、臆病至極の卑怯者じゃった。衣川の合戦の折り、このわすは主君義経公をば見捨て、わが身の命が惜すいばっかりに、戦場をば逃げ出すてすもうたのす。戦《いくさ》がおそろすうてかなわん。死ぬことがおそろすうてかなわん。それでわすは義経公を裏切り、命からがら逃げ失せたのじゃ。……わすは、逃げ失せたものの、ああ！　済まねえことをばすた、わりいことをばと、われとわが身を悔やんでおるすが、どうにもならねえのは、われとわが罪深え心のありようじゃ。わすはそん時から七百五十年、おのれが罪に涙をば流すつづけ、かように罪をば懺悔すながら、町々をさまようておるす。(36)

この劇には、登仙坊という山伏がいる。おばばの宿と食い扶持とおばばの柔肌を求めるが、おばばにあしらわれる。集団疎開の生徒たちを世話する先生と疎開宿の主人・寿屋が親を失った孤児たちの世話を考えるが、啓太は神隠しに合ったように姿を消す。それから十六年経った（昭和36年）。神社の奥庭に、巫女の雪乃と下男となった啓太がいる。そこへ、サラリーマンになった豊が訪ねてくる。そこで出会った宮司補も雪乃を振り切ろうとしてロシアへ密航するつもりでいる。雪乃の下男になりはてている啓太を軽蔑しながら、豊もまた雪乃の〈五欲五毒〉の魅力に弾かれていたのだ。啓太が叫ぶ「かいそんさまあ！」と。そこへ一人の初老の男が歩いてくる。

第三の海尊　これは都より遥る遥る下ってまいった、常陸坊海尊が成れ果てでござります。

（略）

啓太　海尊さま。どうかおらをあんたのお弟子にしてけえされ。おらァ罪深え男でござります。あんたのお供をばさせてけえれ。おらァ哀れな虫けらでござります。

第三の海尊　いだわすいお人じゃ。けど海尊は文治の昔がら、弟子を持たず、同行はせぬが定法でござります。

啓太　どうすたらええべす、おらの助かる道をば教えてけえされ。おらァ生きながら死に腐れていぐ男す。お慈悲じゃ。海尊さまのほが、おらの頼むお方はねえのじゃ。

第三の海尊　あんた、もすかすたら、わしとおなじく、海尊法師でねえだべか？

（略）

啓太　ああ！　おらが海尊とはのう、知らねがったす。おらのような者の懺悔を、いずこの誰が聞いてくれるだべか。どこさ向いて行ったらええべ。(37)

二人は背中を合わせて方向を定め、ということは、左右両方向へ別れて進みながら、声を合わせて唱えながらすすむ。啓太は、第四の海尊になっている。

第三の海尊と第四の海尊　世の人々よ、この海尊の罪に比ぶれば、みなみなさまはまこと清い清い心をば持っておるす。わしは罪人のみせしめに、わが身にこの世の罪科をば、残らず身に負うて辱かしめを受け申さん。わが身の罪に涙を流し、身の懺悔をばいたすために、かようにさすらい歩いて七百五十年。思えば、この海尊が罪のおそろしさを、なにとぞ聞いて下されえ。(38)

琵琶の音がありながら、二人は去る。啓太が、海尊になるところでこのドラマは幕となる。このドラマの主人公は、誰かと問えば、おばばであり、雪乃であり、海尊であり、豊であり、そして、啓太だと、いずれを挙げても、言えるような気がする。いや、誰も主人公の資格は持っていないような気がする。何故ならば、これまでの戯曲での主人公のような、積極的に行動する人間ではないからである。それでも、強いて上げれば、ラストの表現から推し量れば、啓太だと言えるかもしれない。しかし、その啓太も劇的行動者とは言えない。おばばや雪乃の言いなりになる人物である。にもかかわらず、旧来のような感動をこの舞台から観客は、受けたのである。劇評家の〈森秀男〉の感想を借りれば、

……この幕切れは、みずからの罪を背負いつづけて生きるほかない民衆の姿をえがききって鮮烈である。……(39)

……二人の海尊は、語りながら、南と北に別れて遠ざかるが、この幕切れはやはり鮮烈だった。この変身譚は、みずからの罪を背負いつづけて生きるほかない底辺の人びとの姿を鋭くえがききり、伝説の海尊が、現代の民衆の生活のなかにもまぎれもなく生きていることを、まのあたりにみる思いがしたからである。……(40)

東京新聞の森記者によって示された「みずからの罪を背負いつづけて生きるほかない」という生き姿に注目したいのである。これこそ、受動的主人公だということを示しているのではないか。底辺に生きる人びとに、秋元松代は、キリスト教を信仰する切支丹ではない。宗教というものには距離があったと思われる。宗教にかかわりを持たない劇作家で、このような主人公が書けるとは、これまでに、無かった戯曲と言われ、注目されたのは、当然であろう。いや、逆に、すぐにも評価されなかったことが肯ける。

ただ、余談ながらであるが、国際基督教大学の教授だった武田清子が、岩波新書に『背教者の系譜』という本を書いている。『背教者の系譜』は「木下順二のドラマにおける原罪意識」に重きをおいて書かれたと思われるものだが、木下に関連して秋元松代の、その「土俗的罪観との対比」についても書かれている。二人への視点は、偶然ではないかもしれない。木下順二は、戦後の新劇劇作家を代表するような作家であるが、後述するように受動的主人公を描き出している人だと考えられる劇作家であるからである。

余談をさらに一つ。秋元松代は「常陸坊海尊」においてなかなか注目されなかった劇作家ではあったが、つぶさに見れば、初期から注目されていたし、一九六〇年に上演された「村岡伊平治伝」は決定的に面白かった。さらに、一九七九年の「近松心中物語」は、最高に面白かった成功作品である。この作品は、近松門左衛門の「冥途の飛脚」と「緋縮緬卯月の紅葉」「卯月の潤色」を合わせて脚色されたものであるが、近松は心中物に見られるように〈悲劇〉を書いた。「冥途の飛脚」はまさに悲劇の名作である。ところが、「卯月」は、近松悲劇であるはずが、内容が〈喜劇〉なのである。喜劇の題材を悲劇スタイルで書かれた近松の「卯月」は失敗作であった。だが、秋元は、「冥途の飛脚」は悲劇そのままであったが、「卯月」は、〈喜劇作品〉として書いたのである。この合わせ技が見事に公演を成功に導いたと思われる。秋元松代の才気が伝わってくるような作品であった。

＊秋元松代（一九一一〜二〇〇一年）　劇作家。東京生まれ。三好十郎の戯曲研究会に参加。一九六〇年「村岡平次伝」で文

部省芸術祭奨励賞。「常陸坊海尊」「かさぶた式部考」で毎日芸術賞。ラジオ・テレビドラマも開拓。「近松心中物語」は大ヒット。

【注】三好十郎～秋元松代までの引用
(1)～(3)　三好十郎「その人を知らず」のせりふ
(4)～(6)　三好十郎「冒した者」のせりふ
(7)　三好十郎「冒した者」の劇団民芸公演パンフレット見出し文章
(8)　三好十郎「冒した者」のせりふ
(9)　田中單之『三好十郎論』青柿堂、一九九五年十月
(10)　田中千禾夫『劇的文体論序説【下】』白水社、一九七八年四月
(11)・(12)　椎名麟三「第三の証言」のせりふ
(13)・(14)　椎名麟三「生きた心を」のせりふ
(15)～(22)　田中千禾夫「肥前風土記」のせりふ
(23)～(27)　田中千禾夫「マリアの首」のせりふ
(28)～(34)　田中澄江「がらしあ・細川夫人」のせりふ
(35)　武井昭夫『演劇の弁証法』影書房、二〇〇二年一月
(36)～(38)　秋元松代「常陸坊海尊」のせりふ
(39)　森秀男「演劇座初演劇評」一九六七（昭和42）年九月、東京新聞
(40)　森秀男「演劇座再演劇評」一九六九（昭和44）年一月号、テアトロ

▼遠藤 周作 その1 「黄金の国」（一九六六年）

「黄金の国」の戯曲構造――受動的主人公への視点――

1 はじめに

遠藤周作は、小説家である。そして二つの顔を持つ小説家として著名である。狐狸庵先生のユーモア小説家と、弱きイエスあるいはイエスを同伴者とする弱者を描く純文学の小説家である。小説家遠藤周作の研究は、多くの人々によって、作品研究から遠藤周作論まで、多数を究めている。しかし、遠藤周作は小説家にとどまらず、評論、映画のシナリオも書き、テレビドラマもある。エッセイも面白い。そもそも遠藤氏は、エッセイ『神々と神と』（一九四七年）、そして評論「カトリック作家の問題」（同年）、『堀辰雄覚書』（一九四八年）で世に出ている。初の小説（『アデンまで』）は、『神々と神と』のエッセイの七作後であり、芥川賞受賞（『白い人』）はその翌年、つまり、このエッセイの八年後である。そしてまた、遠藤周作は「新劇」の台本〈戯曲〉も書いている。勿論、小説の数とは比べものにならない少ない本数である。一九五七（昭和32）年（三十四歳）から今日（七十一歳）までで、戯曲は僅か、六作品である。

遠藤氏は、大の芝居好きのようである。特に、シェイクスピアがお好きなようである。処女作「女王」という作品の幕開きなどは、シェイクスピアの「ハムレット」のトップシーン、番兵の会話シーンと同じである。もっとはっきりした証拠といってもよいと思うのは、自分で素人劇団をつくり、既に二十回近い公演をなし、さらに海外公演までなされているということである。キザなことをやっているというテレであろうか、いや、まともにキリスト教から紡ぎ出された名であった。劇団の名称は「樹座」というのである。ただし、この劇団で上演する作品は、「ロミオとジュリエット」「ハムレット」や「カルメン」など海外の名作物である。遠藤氏はここで役者もやるのである。

遠藤氏が、今日まで六本の戯曲しか書かなかったのは、あの小説の数と比較すれば、謎でもある。遠藤氏が、劇作家として注目を集めたのは、雑誌「文芸」一九六六（昭和41）年五月号に発表され、その月に、劇団「雲」によって上演された「黄金の国」（演出芥川比呂志）である。そして遠藤氏自身は、この「黄金の国」が自分の処女作と言っており、遠藤戯曲に触れるとき、遠藤氏の処女作が「黄金の国」だと信じて紹介している人もいる。だが、遠藤氏には、「黄金の国」の前に二つの作品がある。にもかかわらず、「黄金の国」を処女作というご本人の意識が面白い。

「はじめて長い戯曲を書いた。八年ほど前に一幕物を書いたことはあったが、文字通りその時は習作だったから、こんどの三幕物「黄金の国」が処女戯曲のつもりである」(1)

「処女戯曲のつもりである」と書いている。そしてまた「初めて長い戯曲を書いた」としているが……

「昨年、田中千禾夫先生にぼくのはじめての三幕物を演出して頂いた」(2)

という一九五九（昭和34）年の文面がある。一九五九年といえば、「親和力」という遠藤氏の二番目の戯曲――「黄金の国」の前の戯曲――が、劇団「同人会」によって、年の初めに上演されている。稽古は前年の暮れからやっているだろうから、「昨年、田中千禾夫先生に……演出して頂いた」のは、この「親和力」であり、この戯曲は「はじめての三幕物」ということになる。すると、「黄金の国」が〈処女作〉でも、そしてまた〈はじめて長い戯曲を書いた〉ものでもないことになる。勿論、作者のこの処女作発言は、作者自身の意識の問題であり、以前の作品は習作であり、「黄金の国」が本当の処女作という気持がよく表れている、と解するだけでいいだろう。実際の処女作は、一九五七（昭和32）年十二月、「文学界」に発表され、劇団「四季」によって上演されたとされている「女王」である。作者、三十四歳の作品である。六つの作品を年代版に列記すれば以下のように

なる。(ただし、「女王」が劇団四季で初演された証拠は手元に無い)

題名	発表誌	発表年月	上演年月	上演劇団
『女王』	文学界	一九五七年十二月	一九五七年十二月	四季
『親和力』	現代文学の実験室③	一九六九年	一九五九年二月	同人会
『黄金の国』	文藝	一九六六年五月	一九六六年五月	雲
『薔薇の館』	新潮劇場	一九六九年九月	一九六九年九月	雲
『メナム河の日本人』	新潮劇場	一九七三年九月	一九七三年十月	雲
『新四谷怪談』	新潮劇場	一九七四年十月	一九七四年十月	青年座

ところが、二〇〇〇年四月十五日の「朝日新聞」に〈遠藤周作25歳の初戯曲〉という記事が掲載された。女子高校のために書かれた「サウロ」という作品である。小説の処女発表が、三十一歳だから、六年も早い時期に書かれていたことになる。記事によれば『サウロ』は、ヘブライ語での聖パウロ。キリストの死後数十年の時代。サウロはキリスト教迫害の急先鋒だったが、キリストの声を聞いて回心した。サウロの説教を聞いて信仰に目覚めた若い女性ドロテアと、サウロを殺そうとする婚約者コネリオ。〈愛〉と〈信仰〉の対立というテーマが、清新な情感の中で書かれている」(3)とある。しかし、この記事が加わっても遠藤戯曲は、生涯全てで、七本に過ぎないということになる。

遠藤戯曲は、本数において数は少ないのであるが、そして、数は少ないためか、小説家遠藤周作の研究とは全く違って、〈戯曲〉についての研究は少ない。

遠藤戯曲の紹介として目に触れる纏まったものは、高堂要「方法としての戯曲―遠藤周作のドラマトゥルギー」、菅井幸雄「神と人間との位相―遠藤周作の戯曲について」、岩波剛「遠藤周作〝三部作〟の魅力」といったところである。しかし、三氏は、演劇畑に重点のある人で、文学畑の人による論及（4）は本当に数が少ない。他には上演された舞台に対する劇評ぐらいのものである。遠藤文学の研究者は、遠藤戯曲については何故か論究しない。触れられているものは、例外的と表現してもいいくらいである。戯曲は文学ではないのだろうか。あるいはまた、遠藤戯曲は、研究の対象にならない程度の作品なのだろうか。そもそも戯曲の数が少ないためか。戯曲は演劇の世界のものであり、演劇と文学の垣根を明確にしているという現象なのだろうか。

数は少なくとも、遠藤戯曲には、注目したい対象がある。それは、あの巧みな小説の技巧と同じく、戯曲技巧の巧みさとしての作品評価ではなく、〈主人公の人間像〉にかかわるものである。

ドラマにおける主人公は、通常、目的に向かって行動を起こし、対象物と対立、葛藤し、受難のプロセスを通過して、主人公は発見し、そのことによって主人公及び主人公の状況に急転が起こり、新たな認識――主人公の質的転換（5）――が生まれる。観客は、哀憐と恐怖を通して、情緒のカタルシス（浄化作用）を行なう。これが、ギリシャ悲劇以来、オーソドクスな古典演劇の基本構造であった。ここでの主人公は、目的に向かって行動を起こし、主人公の自己認識が、古いものから新しいものへと転換する〈弁証法〉的展開、つまり、主人公は発展をなすのである。たとえば、主人公が破局を迎え、破滅しても、主人公の精神は高みに到達するのである。主人公は、常に、積極的、能動的な人間像なのである。そして、筋＝劇行動の展開は、アリストテレス流に言えば、初め、中、終わりがある。そしてそこには、時間の単なる経過ではなく、〈進化〉する時間、進化の過程がある。劇の展開には、進化論が根底に流れていると解してもよいであろう。

しかし、遠藤周作が描く戯曲の主人公たちは、弱い、受身的な主人公なのである。オーソドクスな演劇の、劇的に行動する積極的、能動的な主人公ではない。小説『沈黙』や『死海のほとり』、最近作『深い河』にも登場する主人公と同じく、あまり恰好良くない主人公なのである。ここでは、主人公は、ヒーローではなく、アンチ・ヒーローとでも言えようか。これは、古典悲劇の主人公のイメージと大きな差異を持っている。遠藤戯曲は、古典的なドラマトゥルギーで描かれているにもかかわらず、である。

一九五〇年代、フランスのサミュエル・ベケットやウージーヌ・イヨネスコの登場によって、演劇における劇的展開や、主人公のイメージは大きな変容を遂げた。筋＝劇行為は弁証法的に展開せず、主人公にも劇的な行動力はなく、あるのは無意味なおしゃべりばかり。一般的に不条理演劇、または、アンチ・テアトルと呼称されている演劇である。しかし、これらの作品以前に、主人公の姿は変容していた。ドイツのベルトルト・ブレヒトやロシアのアントン・チェホフの主人公は、アンチ・ヒーローであった。遠藤戯曲の主人公もまた、アンチ・ヒーローと言えようと先に述べたが、ヨーロッパ演劇のアンチ・ヒーローたちは、感情同化する主人公ではなく、否定的主人公であり、それは、批判される人間像なのである。

だが、遠藤戯曲の主人公は、受動的な主人公ではあるが、決して否定的主人公ではなく、受動的人間でありながら、その存在は肯定的人間像なのである。

これは、演劇においては、新しい視点、新しい形象を持った主人公となる可能性を持っている、と言えるか、あるいはまた、やはり、受身の人間像は、劇的葛藤を必要とするドラマには不適当なる形象なのか、論究すべき対象である。

「黄金の国」の主人公とその戯曲構造を具体的に究明することによって、遠藤戯曲における主人公の人間像の特質と演劇における遠藤戯曲の意味を明らかにしてみたい。

2 「黄金の国」という作品

雑誌「文芸」（一九六六年五月）に発表された「黄金の国」は、三幕九場、五十二ページ、原稿用紙約二〇〇枚の戯曲である。この二ヵ月前に小説『沈黙』は発表されている。

『沈黙』は、遠藤周作の作品の中でもピークをなすものとして、遠藤氏のこれまでの日本におけるキリスト教への思い（思想）を示したものの集大成として、大きな話題を呼んだ。

戯曲「黄金の国」は、その小説『沈黙』と、戯曲と小説の違いはあるものの、島原の乱数年後、切支丹禁制の時代の物語であり、登場人物も共通し、宣教師が切支丹禁制の日本に潜状して布教するが、捕らえられ拷問に遇い、そして、踏絵を踏んで背教するが、神の声を聴くという主題も同一であった。

戯曲「黄金の国」は、小説『沈黙』と同一作品、または姉妹編と見られた。それ故に「黄金の国」は、小説『沈黙』の後発作品でもあり、『沈黙』にこそオリジナリティがあり、「黄金の国」は二番煎じという印象が起こったのか、あるいは、演劇台本であるゆえ、ジャンルが別という認識があってのことか、または、文学研究者は、小説『沈黙』を充分すぎるほど語ったためか、「黄金の国」は、『沈黙』ほど注目を集めなかった作品である。

「黄金の国」は、『沈黙』の喧騒の中に発表されたことと、『沈黙』と類似の題材、人物が使われていることから、正当な批評を受ける機会を逸した感がある……「黄金の国」は……『沈黙』と一体視され、ほとんど批評らしい批評を受けずにきた不運な作品であった。(6)

という武田友寿という人の指摘があった。また、この指摘を裏付けるかのように、笠井秋生という人の「遠藤周作論」の末尾の参考文献目録(7)には、『沈黙』への論及は約八十五あるが、「黄金の国」への言及は五つほどしかない。しかもこれは書評も含めてである。しかし、「黄金の国」が『沈黙』より注目すべき点のあることを語っている人もいる。先に挙げた演劇畑の三人（高堂要、菅井幸雄、岩波剛）の人々の言及である。

『沈黙』よりも鮮やかに、日本という泥沼の無気味な恐ろしさが刻印されている。……『沈黙』より明瞭に、踏絵を踏んだ神父が、転んだのが、しかも転んだのではないという、作者の逆説的主張が打ち出されている……「黄金の国」の方がポジティブに作者の信仰を前面に押し出している」(8)

『沈黙』で萌芽的に感じられた日本的なキリスト像が、「黄金の国」では、さらに演劇的視覚性をもって解明され

ていることは、注意する必要があるのだ」(9)

「井上筑後守はフェレイラを論難する。〝自分の弱さを正当化するために教えをゆがめたのではないか、自分のみじめさを自分の心に欺くための言葉ではないか、日本という泥沼に負けたのだ……『沈黙』の主題を越えたとさえ言われる終幕である」(10)

「黄金の国」と『沈黙』の比較のようなものを先走って結論を急いでいるようであるが、「黄金の国」という作品そのものをまず、検討してみる。

(A) 第一幕

「黄金の国」は、島原の乱、二年後。長崎、宗門奉行井上筑後守の奉行所からはじまる。

井上筑後守　盆の宵か。子供たちの歌う盆歌には、なにか哀しい響きがあるな。もうこの長崎に下ってから四月になる。

平田主膝　……切支丹糾問の儀は見違えるほど捗り、長崎より大村、平戸に至るまで禁制の主旨行き渡りまして、あらかたの百姓、邪法を棄てましたのも、殿が来られてからでございます……。

井上筑後守　だが、潜伏しておる南蛮伴天連もいる。……早う、すべてが片付かぬものか。疑う。捕える。転ばせる。切支丹は心の強さに己を賭け、我等はその体を責める。人間の体と心のいずれが強いかを試す。……(11)

という台詞から始まる。遠藤戯曲は、オーソドクスな演劇である。「黄金の国」も古典的な三幕構成になっている。ドラマは通常、自然な描写から徐々に劇的な展開になって行く。しかし、「黄金の国」の導入の自然描写は、最初の井上筑後守のひと台詞だけである。二つ目の台詞から切支丹を転ばせるという本題にズバッと入っていっている。この点では、初め、中、終わり、というスタイルをとっているものの、起承転結の起・承が同時に出てきているのは、遠藤氏自身の、戯曲への憶いの現れ——小説とは違ったスタイルを書くという意欲——を見るようである。

長崎宗門奉行〈井上筑後守〉は、嘗て切支丹であったが、今は、腹心平田主膳を配下に徹底した隠れ切支丹の取締を行なっている。井上は、嘗て切支丹であった侍を役人に召しかかえている。転び者ゆえに、信者の心の動きを促えるに役立つというわけである。

〈朝長作右衛門〉もまた、その役人の一人であったが、朝長は現在も信仰を棄てず、さらに、日本にただ一人残っている宣教師フェレイラを匿っているという疑いが持たれている。

井上　……ところで朝長、フェレイラと申す南蛮伴天連を知っておるか。
朝長　知らないで、どうしましょう。いまだにこの日本のどこかに潜伏しておりまして、御公儀の眼をかすめ布教いたしております、ポルトガルのパーデレでございましょう。
平田　……朝長さまは……そのフェレイラにより洗礼を受けたお人で……
朝長　……若年の過ちで……切支丹名までフェレイラのそれにあやかり、ヨゼフなどつけまして
井上　気にすることはあるまい。余の切支丹名もポーロと申した……(12)

井上筑後守は、古傷に心配りをするかのように振る舞いながら、朝長に探りを入れる。井上筑後守が問いかけた〈フェレイラ〉とは、切支丹禁制の日本に残った最後の宣教師であり、「黄金の国」の中心人物である。

「ローマ教会に一つの報告がもたらされた。ポルトガルのイエズス会が日本に派遣していたクリストヴァン・フェ

レイラ教父が長崎で、〈穴吊り〉の拷問をうけ、棄教を誓ったというのである……」「かつて神学生の教育にあたったフェレイラ師の学生であった人……セパスチャン・ロドリゴ……は、自分たちの恩師だったフェレイラが華々しい殉教をとげたのならば兎に角、異教徒の前に犬のように屈従したとはどうしても信じられなかった。……日本へ渡り、事の真相をこの眼でつきとめようと考えた……」(13)

これは、小説『沈黙』の冒頭であるが、『沈黙』では、フェレイラはすでに転んだ司祭となっている。フェレイラの学生であったセハスチャン・ロドリゴが『沈黙』では主人公になる。『沈黙』が先行作品であるが、時代は「黄金の国」が先なのである。そして、「黄金の国」では、ロドリゴは登場せず、フェレイラが、主人公となっている。

人物の配置は、切支丹の教えを棄てさす側とその教えを広める(信じる)側に、明確に別れている。

＊切支丹の教えを棄てさす側＝井上筑後守・平田主膳・加納源之介
＊切支丹の教えを広める(信じる)側＝フェレイラ・朝長作右衛門・娘雪・嘉助・隠れバテレンの百姓たち
(ただし、若侍加納源之介と雪は恋仲)

〈井上筑後守〉対〈朝長作右衛門・フェレイラ〉との対決が、この劇の展開の主紬である(朝長作右衛門、雪、加納源之介は、『沈黙』に登場しない人物である)。『沈黙』では、フェレイラは既に転び伴天連になって、『沈黙』の主人公・宣教師ロドリゴを説得する役回りになっている。それ故、〈井上筑後守・フェレイラ〉対〈ロドリゴ〉の対決という構図であるが、もう一つ、〈ロドリゴ〉と〈キチジロー〉という関係がある。『沈黙』の研究者の中には、ロドリゴとキチジローの構図こそ、『沈黙』の中心と見る人も多くいる(キチジローは「黄金の国」においては、嘉助という名である)。「黄金の国」では井上筑後守が、『沈黙』においてよりも、大きな位置を占めている。このことは、戯曲「黄金の国」を見ていくことによって自ずから浮き出て来るだろう。
次いで、井上筑後守は、朝長たちへ探索の仕掛けを開始する。

井上　思うことは同じであったな、お前とこの余とは。(14)
平田　と存じまする。……切支丹を奉ずる娘は、切支丹の男でなければ嫁に参らぬとか……
井上　……朝長の娘には、許嫁はないか。

朝長の娘・雪に、ゼンチョ＝異教徒の若侍加納源之介を目合わそうとの考えである。朝長が、この縁談を拒否するか、しないか……、ドラマが動き出すところで、第一幕の第一場が終わる。
そして、第一幕の第二場である。朝長は、村人たちを集会所に集める。

朝長　今日、お前たちにここに集まってもらったのはほかでもない。実はな、宗門奉行井上筑後守は、いよいよ禁制の切支丹を草の根わけても探しださんがため、……百姓一人残らず踏絵をなさしめる心、つもりなのだ。
嘉助　踏絵とは、一体何でござります。
朝長　踏絵とはな、……サンタ・マリア様とデウス様の御顔を描きたる絵を、あるいはクルスを踏め……ということだ。
嘉助　踏めと……。(15)

朝長は〝自分は侍であるので、いかなる苦しみに会っても、信仰の証しを示す。だが、お前たちは百姓、絵を踏んで転んでもよい〟と言う。しかし、百姓たちは……

茂吉　ばってんが転び者は地獄におちっとです……
久市　俺あ踏まんぞ。俺あ踏まんぞ。
はつ　うちは踏みまっせん。(16)

百姓たちは、殉教の態度を見せる。そこへ、朝長が匿っている宣教師フェレイラが現れる。百姓たちが去った時、朝長はフェレイラに問う。

朝長　……デウスはなぜ黙っておられるの。なぜ助けて下さらぬ……なぜ黙っておられる。……雲仙の煮えたぎる熱湯の中に、漬けられてもそれがハライソ（天国）に行く道と信じ、河に簀巻にして入れられても、絶え絶えの声にてオラショ（祈祷）を唱え……(17)

フェレイラは、追い撃ちをかけられるように朝長の娘・雪が加納源之介を慕っていることを告白され、さらに、嘉助にも問いかけられる。嘉助は〈踏絵を踏まぬ〉とは言わなかった臆病な、弱い男なのである。

嘉助　パーデレ様、切支丹の中にも、いえ俺たちの群村の百姓の中にも、強か苗と弱か苗と同じごたる強か者と弱か者とのあっとです……ばってん、生まれつき弱虫は……臆病者は、とげんすればよかでございましょうか。
フェレイラ　神様はその時、かならずやお助け下さる。なぜ疑われる。
嘉助　パーデレ様。そのお言葉は今まで、なんべんも聞いて参りましたが、まこと弱か苗も、ジェズス様はお助け下すっとですか。パーデレ様。では何故、キリスト様は、弱か苗ば川ん中へ放り出されたのでございますか……
フェレイラ　キリスト様の棄てた弱い苗？　一体何のことをお前さま……
嘉助　クルスにかけられる前に、キリスト様を売り申した意気地なしの……

フェレイラ　ユダのことだな……(18)

これらの問いは、すべてフェレイラの胸に突き刺さって来た。それは、フェレイラ自身が悩んでいたことでもあったからだ。

ここに登場した〈嘉助〉は、小説『沈黙』では、あの弱者〈キチジロー〉に該当する。キチジローは、『沈黙』の重要人物である。いや、あるいは、真の主人公かもしれない人物である。踏絵を踏み、いくら転んでもロドリゴから離れない、つまりイエスから去らない、信仰を棄てない人間なのである。(一旦、転べば、イエスを裏切ったことになり、通常は、当然、棄教者となろう。にもかかわらず、信仰を棄てない人間。『沈黙』読書後は、このキチジローが一番印象に残った)

「黄金の国」の嘉助は、キチジローほどの形象化はされていない。断片的には、弱い人間の問題は出てくるも、その印象は希薄である。『沈黙』のロドリゴとキチジローとの関係――ロドリゴが理解出来なかった、あの〝去れ、行きて汝のなすことをなせ〃とユダに言ったイエスの言葉の真意、それらを明らかにする関係が、この二人には強く形象化されている。「黄金の国」でも……

フェレイラ　……基督、申し給うに……ユダに、その為さんとするところ、速やかに為せと。……なぜキリストはこんなに冷たくユダを追いはらったのかと、お前さま(嘉助)は聞いたことがあったたな。……私には今はもうわかる。……それは、哀しみと愛とのまじりあった言葉だと……売るユダもまた辛かった。その辛さをあの方は、誰よりも知っていられた。……お前のかわりに、私が十字架を負うのだと……(19)

という台詞が、ラストシーンにあるが、フェレイラと嘉助の関係は、『沈黙』ほどではない。むしろ「黄金の国」では、キチジローの〈弱き人間〉の問題は、フェレイラの人物像の中に重点移動しているように思われる。(こ

の点についてはあとで言及するつもりである）

さて、問いを続けられ、苦しさを増した宣教師フェレイラは、遂に基督の聖像にむかって自ら問うのだ。

フェレイラ　主よ朝長殿の訴え、嘉助の声、あれがあなたのお耳に届いたのなら、どうかお答え下さい。私にはもう、あの者たちに力を与える答を、答えられませぬ。……あの百姓たちと同じ迷い、同じ問いに苦しんでいるからです。なぜ黙っておられる。あなたはいつも黙っておられた……なぜ私たちは拷問を受け、火や水で責められねばならぬのか。……なぜ、転びものを作りそれを苦しめるいわれがあるのか。教えて下さい。語って下さい。なぜ黙っておいでになる……(20)

ここまででやっと第一幕が終わる。三幕九場の作品であるが、この作品の状況が、第一幕で出揃っている。それ故、やや細かすぎるくらいに台詞を伴って、第一幕を見てみた。

遠藤戯曲は、観念劇、思想劇と言われる。遠藤自身が「小説の場合、彼（小説家）は自分の作中人物の内側だけではなく、その外形、要望、癖などつかまえておかねばならない。……戯曲の場合……ただちに作中人物の内部から書きはじめることができる」と言っている。そしてまた「……小説的要素である性格と性格の闘い、心理と心理の闘いは戯曲におけるドラマツルギーにはならない。戯曲というものは観念と観念との闘いだ……」(21)という考え方があるようだ。

第一幕から〝ただちに作中人物の内部から書き〟始め、第二幕以降は、〝観念や思想の闘い〟によって展開させて行っている。

（B）第二幕

井上筑後守は、異教徒の若侍の縁組の次には、朝長の旧君、大村家・主君純長が、内室を亡くしたので、娘をお城にのぼらせる提案をしながら、じわじわと朝長の心を探って行く。

井上　ところで朝長、そこもとは何故、切支丹の教えを棄てたのだ。

朝長　……棄てねば……今頃は……殿のきついお調べを受けておりましょう。では、殿、殿は何故、切支丹の教えを棄てられたのでございますか。

井上　……それはな……この日本の土にあの教えの苗は育たぬと思うに到ったからだ……気味のわるい泥沼だ、この日本は。他国のどんな苗でもこの沼に植えれば、枯れるか、似ても似つかぬ花を咲かせるのだ。

朝長　その日本が南蛮のパーデレたちや商人には東方にある夢の国でございました。彼らは日本を黄金の国と呼び……(22)

二人の立場の違い、観念と観念の闘いが濃厚に描かれる。キリスト教にとって日本は、泥沼か黄金の国か、の議論に次いで、井上筑後守は、試みにと言いながら、朝長に、踏絵を踏んでみろと言う。平田主膳の前で、踏んで疑いを晴らしてくれと言う。その時、〝雪さまは源之介に恋こがれておられる。あの縁談を断ったのは切支丹の教えを信ずるゆえ……〟という通報が、雪から源之介へ頼まれた留めという女によって明らかにされる。朝長は、基督の絵の前で、井上の前で十字を切る。〝作右衛門は切支丹でございました〟と。朝長は、穴吊りの刑に処せられる。それは逆さに吊り下げられる残酷な刑なのだ。

井上　余が正しいか、それとも切支丹たちが正しいか。朝長の申すようにこの日本は切支丹という苗の育った黄金の国か。それとも余の考えるようにその苗は根を腐らせ枯れていく泥沼の国か……(23)

井上筑後守は、キリスト教にとって日本は泥沼か黄金の国か、賭をするかのように、フェレイラを誘い出す手段を押し進める。

フェレイラが出頭すれば、朝長は助かる、百姓たちも助かると、奉行が約束していることを百姓たちは聞く。百姓たちはフェレイラに出頭を迫る。フェレイラは、それは奉行所の罠だと言うが……

嘉助　パーデレさま。お願いしますけん。群部落を助けてくれんですか。お館さまの命だけではなかとです。おいたちが生きるか死ぬか、パーデレさまの一存にかかっとっとです。……踏絵はあさってじゃ、奉行さまは、パーデレさまさえ自首しなすったら、お館さまも我々も命ば助けるといいなさる。

（一同、じっとフェレイラをみつめる。フェレイラ、後ずさりして）

フェレイ　なぜ、お前さまたちは私を見るのだ。なぜそのような眼で私を見るのだ。……見るな……出ていけ……(24)

フェレイラ思わず怒鳴る。そして、フェレイラは嘉助のような弱さを見せる。

フェレイ　主よ。……この心の弱さ。今日まで私は司祭として人々に神の教えを伝えてきました。偉そうに。高みから。まるですべての覚悟ができておりますように。……私の信仰はあの臆病者の嘉助と何処にちがいがある。……私一人では耐えられぬ。聖母さま。サンタ・マリア。おとりつぎを。この私に力をお与え下されるようおとりづきを。(25)

百姓が迫り、フェレイラが恐れを見せる、このシーンは、舞台に於いては迫力のある緊張感のある場面である。そして、『沈黙』のキチジローの弱者の姿が、「黄金の国」ではフェレイラに重点移動していることが見えるシーンでもある。〝あの井上筑後守は、簡単には殺さない。ゆっくりと時間をかけて苦しませて、転ばせるのだ〃フェレイラの内心には、あの逆さ吊りの拷問や殺されることへの恐怖に耐えられるか、不安が湧き起こって来ている。百姓の嘉助は、ユダのように、フェレイラを売ることを決意する。そこで、第二幕が終わるのである。

(C) 第三幕

密告に来た嘉助が、フェレイラの居所を言いよどんでいる時、フェレイラが村人たちと奉行所に出頭して来る。フェレイラがついに出頭した。殉教の覚悟でか？

しかし何故か、フェレイラは嘗て拷問を受けた人々の話を井上にまくし立てる。

フェレイラ　元和九年に、江戸札の辻で五十人のパーデレ、切支丹信徒を火刑に処せられた殉教、あれを憶えておいででしょうか。……あの雲仙の殉教……煮えたぎる雲仙の池につれていかれ、沸き立つ湯を見せられ……着物を剥ぎ……柄杓で沸き立つ湯をすくって……

井上　パーデレ、何のためにそのような話をされる。おのが勇気をふるい立たすためそれを話すのか。(26)

ここでも、フェレイラへのキチジロー的弱さの重点移動が垣間見える。だが、当然のようにフェレイラは、早速穴吊りの刑に処せられる。井上は穴吊りを続けながら、じわじわと説得をつづける。『沈黙』では、転んだフェレイラが、ロドリゴの説得にあたる。井上直接ではなく、ワンクッションおかれている。「黄金の国」では、井井上が直接の説得者である。この作品に於いては、井上筑後守の位置が大きいことがはっきりして来る。

二日二晩穴に逆さ吊りされ、疲れ果てたフェレイラを、百姓たちに目逢わして、転びを薦める。

井上　パーデレ・フェレイラ。もしそこもとさえ、転ぶと一言申してくれれば、これら百姓は即刻、村に帰してつ

かわそう。(27)

しかし、フェレイラは奉行の約束を信じない。今度は、雪が踏絵の前に立たされる。源之介が助けようとして割って入るが、その源之介自身が疑われることになる。雪の愛の印に渡された十字架が首に吊るされていたからである。源之介は、名もない職人が作った基督の絵なぞ踏める、と言って足をかけようとする。

雪　それだけは……それだけはおよしなさいまし。もし、これをお踏みになれば、雪とあなたさまの心のつながり、その糸がぷっつり消えてしまいます。……どうぞ……この私をお踏み下さいまし。……足にかけて下さいまし、この私を。

源之介　(足をかけようとして、やめる)切支丹の教えなど何も知らぬこの私だ。だが今こそはっきり心に誓います。雪殿が穴につられるなら、この源之介も穴につられたい……(28)

若い二人が、それぞれ相手のために自分の命を棄てようとする。この若い二人の姿を目の当たりにしたフェレイラが、突然「地面を這いずりまわる。……泣くように身もだえる」(ト書き)そして叫び出す……

フェレイラ　あなたは黙っているのではなかった。あなたはいつも黙っておられると私は思っていた。だがあなたは黙っておられるのではなかった。(29)

と言って、踏絵の前に歩き。

フェレイラ　井上さま、よく御覧になるがいい……フェレイラは、ただ今……この通りのお顔に足をかけます。(30)

と言って、踏絵を踏むのである。転んだのである。しかし、フェレイラは……

フェレイラ　踏んだとて、基督はお怒りにならぬ。それが、フェレイラにやっとわかったのだ。やっと……やっと……神は黙っているのではなかった。(31)

フェレイラは、教会に対して裏切り行為をしたのである。しかし、フェレイラ自身には、微塵も暗さはない。それどころか、熱気をおびて叫んでいるではないか。

一方、井上筑後守は、ついに最後の宣教師を転ばせたのだ。しかし、フェレイラが転んだのに、井上は、何故か喜びを発しなかった。

井上　パーデレ。余はそれを見たくなかった。せめてそこもとだけは切支丹の教えがこの日本国にも根をつけるのだと身をもって言いつづけてもらいたかった……(32)

井上筑後守は、転ばせることに勝利した、が、己の賭に破れたようだ。井上、フェレイラそれぞれの情感と認識がクライマックスを形造る。

転びは、裏切りである。背教である。にもかかわらず、フェレイラの眼は、何故か輝いていた。百姓たちには、理解出来ない。フェレイラほどの司祭ならば、殉教して当然のように思われる。それが踏絵を踏んだのである。百姓たちが、フェレイラは気が狂ったと思っても不思議ではない。

フェレイラ　気が狂ったのではないぞ。このフェレイラは、正気で申す。踏んだとしてキリストはお怒りにな

らぬ（33）

フェレイラは、〝踏んだとて基督は決してお怒りにならぬ〟と叫んだ。フェレイラは一体、何に気付いたのか。舞台は、フェレイラの行動があるのみである。その答えは、エピローグともいえる第三幕第四場のラストシーンに持ち越されている。

戯曲「黄金の国」のフェレイラも、小説『沈黙』のロドリゴも、踏絵を踏んで転ぶ。しかし、踏絵を踏む直接の行動要因になる描写が違っている。

「黄金の国」は、先に見たように、雪と源之介の若い二人の、自分を投げ出す姿を見て、フェレイラは基督の像を踏む行動に出る。

『沈黙』では、ロドリゴが遠くからの〈鼾〉を聞く。

それは、酒を飲んで眠りこけている牢番の鼾らしいと思う。ロドリゴは思わず笑う。

「……自分がこの闇の囲いの中で死を前にして胸しめつけられるような感情を味わっている時、別の人間があのような呑気な鼾をかいている事はなぜか滑稽だった。……高く低く唸っている愚鈍な鼾、無知な者は死の恐怖を感じない。……眠りこけている番人の顔が眼に見えるようである。……彼はまた小声で嗤った……」

通　辞　「どうしたな。パードレ」

ロドリゴ　「私はただ、あの鼾を」……

通　辞　「あれを鼾だと……」「あれは鼾ではない。穴吊りにかけられた信徒たちの呻いている声だ」（34）

これを聞いて、ロドリゴの頭は何が何だかわからなくなった。

「自分はあの声を滑稽だと思って声をだして笑いさえした。自分だけがこの夜あの人と同じように苦しんでいるのだと傲慢にも信じていた。だが自分よりももっとあの人のために苦痛を受けている者がすぐそばにいたのである。……」(35)

ロドリゴは、牢番の愚鈍な〈鼾〉と思った声が、信徒たちの拷問に苦しむ〈呻き声〉であったという衝撃、その衝撃が、転びへ誘う要因になっている。

俳優によって演じられる演劇においては、男と女の愛による表現が、芝居として成立しやすい。つまり、一般的な演劇――メロドラマなど――の姿をもつことになる。それは、一定のインパクトはある。若い、愛の苦しみは、神の愛へ繋がっていくイメージへ昇華する可能性もある。しかし、通俗的なメロドラマへの危険性を持っている若い男女の愛よりも、鼾が呻き声であったという誤解――ロドリゴにとっての残酷な誤解――は、オーソドクスな演劇の劇的要素を獲得して、『沈黙』の方が演劇的と思われる。ここでは――「黄金の国」に於いては――遠藤氏が好む、芝居らしい芝居といった演劇観の一端が伺える。

転んだフェレイラは、沢野忠庵という日本名で、奉行所の仕事をさせられ生きている。雪や源之介や百姓たちが処刑される日、転んだ嘉助が尋ねて来る。フェレイラは嘉助に述懐するかのように語る。

フェレイラ　……雪さまは源之介殿にこう言われた。自分に足をかけてくれと……愛する者を助けるために一人の娘さえ、自分の顔に足をかけよと言うた……基督がもし我等を愛してくださるなら、お前さまの弱さ、お前さまの足の痛さ、踏絵を踏む者の足の痛さを知っておられる……踏絵の基督は泣きながらこう言われたであろう。踏むがよい。踏むがよい、私をと。そのためにこの私はいるのだ……(36)

フェレイラは、踏絵を踏む前の基督の顔が、〈威厳のある立派な美しい顔〉であったものが、〝踏むがいい〟

と囁いたキリストの顔は、〈凹んだ疲れた顔〉であることを、発見したのだ。

フェレイラ 主よ、あなたのお顔を棄てたのではない。いやむしろ、昔と違ったあなたのお顔を見つけたのです。(37)

入江の杭に縛りつけられた雪、源之介や百姓たちが、水に埋もれ死んだことが報告され、すべてが終わりかけた時、四人の南蛮パーデレが夜の闇にまぎれ、新たに上陸したことが告げられて、幕が降りる。

3 「黄金の国」の主人公

「黄金の国」が「批評を受けずにきた不運な作品であった」と書き、「黄金の国」に少なからず触れられた武田友寿という人の先の言及の中に……

「……井上筑後守やフェレイラは『沈黙』では傍役にすぎず、彼らの言動はロドリゴ、キチジローの演じる書割にすぎない……これにくらべて「黄金の国」は違っている。この作品での主は井上筑後守であり、同等の役柄を与えられているのは、フェレイラである。……「黄金の国」の主題は、日本＝泥沼とする井上とキリスト教を日本に移植する使命と情熱に生きるフェレイラの対決であり、それをめぐって生じる信仰の劇なのである。」(38)

井上筑後守が主役であるという注目すべき指摘をしておられる。フェレイラは同等の役柄を与えられているということであるから、主役が二人ということになる。

「……高橋たか子が評しているように、井上・フェレイラという〝二つの立場が、否定しあう二つの極として共存

している〃点に、「黄金の国」の作品的意味をみるべきだ……」(39)

とも書いている。この指摘は充分にうなずけるが、井上筑後守が主役というのは、キリスト教にとって、日本は泥沼か黄金の国かという〈テーマ〉からきているのだろう。遠藤周作が、小説のタイトルに〈沈黙〉と付け、戯曲には〈黄金の国〉とタイトルしたことによっても推察出来るように、小説『沈黙』は、神が沈黙しているということが第一のテーマであり、戯曲「黄金の国」は、キリスト教にとって日本は泥沼か黄金の国か、ということが第一のテーマであろう。だが、なぜ遠藤周作は、井上筑後守を主役にして「黄金の国」を書こうとしたのか。そのことが重要に思われる。作者は、『沈黙』と「黄金の国」とはテーマを変えたかった。一見同一作品に思われているが、実は、作者はしっかりとテーマを違えていたのである。とすれば、「黄金の国」では、井上筑後守が主人公になるのは、必然的とも考えられる。確かに、「黄金の国」の井上筑後守は、よく書けている。切支丹を転ばせるだけの冷酷、残酷な側面だけの人間ではなく……

井上　なぜ転んだ、フェレイラ。余はそこもとだけを責め苛んだのではないぞ。余は二十年前に転んだこの身と、この泥沼の国とをともども責めておったのだ。(40)

井上の台詞は、小説『沈黙』の井上筑後守とは、ひと味もふた味も違っている。
だがしかし、である。遠藤周作の真の主人公は、小説『沈黙』ではロドリゴであり、戯曲「黄金の国」ではフェレイラなのである。ロドリゴやフェレイラのような受動的な人間こそが、遠藤作品の意味ある世界なのだ。では、なぜ、遠藤周作は、「黄金の国」でフェレイラを独立した主人公にしなかったのか。
遠藤周作が、フェレイラを独立した主人公にしなかったのは、〈演劇〉においては、フェレイラのような人間像は、主人公にすることができないという先入観念が遠藤にあったからだろう。つまり、遠藤の古典的な演劇観によるものと思われる。フェレイラは、受動的な人間である。目的に向かって行動を起こして行く人間ではない。状況を積極果敢に変革していく人間像でもない。古典的な演劇の主人公は、能動的な行動を持つ、劇的な人間なのである。主人公は、自分の前に現れた対象物と闘い、状況を変革して行く人間である。そして、自己否定を媒介にして成長、発展して行くものであり、世界に対して、自己に対して、常に上昇して行く人間（上昇思考・志向）なのである。劇の展開の前提は、弁証法であり、進化論なのである。

ロドリゴやフェレイラのような神に祈る宗教者は、状況に対して優しく対処する心を説き、弱き人々に神は必ず救ってくれると説き、忍耐することを諭すのみである。このような人間像は、小説の叙述体では表現できても、行動を描く演劇においては、不適当と考える観念が遠藤周作の中にあったと思われる。遠藤は演劇をよく知っていたのである。主人公にはフェレイラのような受動的人物ではなく、古典劇の主人公の資格を持つ井上筑後守が必要であったのだ。井上筑後守を描くことによって、フェレイラを主人公と同等の役柄に押し上げようとしたのである。しかし、遠藤周作が戯曲を書く時、既成演劇の概念に呪縛されることなく主人公を造形して、堂々と劇の主役に据えて欲しかった。遠藤周作に、現代の演劇にとって、受動的な主人公は必要である、という観点に立ってもらいたかったのである。フェレイラこそが、主人公であっていいのだ、と。

4　受動の主人公

ここで言う受動的人間とは、一般的に捉えられている消極的で、受身で、弱い人間という姿をベースに持ってはいるが、通常の概念と違うところは、積極的には何も出来なくとも、自分に課せられたもの、あるいは苛酷な状況であっても、自分の目の前にのしかかってきたものから、なんとか逃げずに背負いきること。自分の信じるものを棄てないで、そのものと共生していく忍耐と持続力を持てる人間なのである。『沈黙』のキチジローは、何回転んでも、ロドリゴに、基督に、信仰に、食らいついてきた。いささか無様な形ではあるがそれ故に、必死に自分と向かい合う相手を背負い、受け入れるのである。受動的とは〈受容〉することなのだ。

遠藤周作の小説に登場する弱きイエスは、何もできない人である。人々から病気を治す奇跡をおこすことを期待されるが、病気を治すことはできない。周囲の人々は、執拗にイエスに奇跡を求める。しかし、イエスができることは、病人の横に坐り手を握ることぐらいであった。期待される人間が、期待されることを実現出来ないほど苦しいことはない。通常の人間ならば、恥ずかしくその場から逃げ出してしまうだろう。だが、イエスは逃げ出さず、病人の側にじっと座って朝までいる。病人は、苦しみや痛みをとってはくれないが、その場から逃げ出さず、自分の側に優しくいてくれたイエスに、〈深い愛〉を感じる。

「私はあなたの病気を治すことはできない。……でも私は、その苦しみを一緒に背負いたい。今夜も、明日の夜も、その次の夜も……。あなたがつらい時、私はあなたの辛さを背負いたい……。」(41)

イエスは、辛い、苦しい状況を受入、背負いきる。病人は、そこにイエスの愛を感じる。イエスの〈受容の愛〉を感じるのである。

フェレイラは、踏絵を踏む瞬間、〝踏むがいい。踏むがいい。私〈の顔〉をと。〟というキリストの声を聴く。それは、威厳があって、美しい、立派な、以前のキリストの顔ではなく、凹んだ、疲れた、消耗していた新しいキリストの顔の発見である。

小説『沈黙』において、多くの評者はこの瞬間を〈父の宗教から母の宗教への転換〉と述べる。原作者遠藤氏自身も……

「……私の主人公が心の中でもっていた父の宗教のキリストが母の宗教のキリストに変わっていくというテーマである……」(42)

と書いている。原作者自身が書いているのだから、そのとおりなのであろうが、父の宗教から母の宗教といった表現は、確かに、そのように表することもできようが、どこか適切でない気がする。父とか母とかいった男性、女性の分け方からくる違和感か、父が能動的（行動的）で母が受動的（受け身的）という概念からか、あまり納得がいかない。そしてなによりも、これは〈愛〉の概念に繋がる遠藤周作の問題提起である。それならなおのことである。フェレイラの発見は、イエスの愛の発見である。人間を、長所も欠点も含めてまるごと見つめ、相手を背負い、まるごと受入れる愛である。その愛は、〈受動（受容）の愛〉と呼んでいいものと思われる。

キリストは、顔を踏むフェレイラを受容し、フェレイラは、踏むがいいと言ったキリストの愛を受容したのである。

フェレイラの転換は、父の宗教から母の宗教への転換ではなく、〈受動（受容）の愛〉の発見である。遠藤戯曲の主人公の素晴らしさは、〈受動（受容）の愛〉の発見にある。弱い人間は、簡単に歴史の影に埋もれて行っていいた。しかし、弱者であっても、すべてを受容し、状況を背負いつづけることによって、生きつづけることによって、人間は愛を達成し、幸せを掴む。

古典演劇は、長く能動的な人間、上昇志向の人間を描いてきた。たとえ弱者を描いても、その弱者が強者に転換する思考の中で描かれた。弱者が弱者のまま強く生きるという発想はあまりなかったとも言える。常に、よりよいものへの変革が前提であった。恋愛ですら、相手を素晴らしくすること、素晴らしい相手を選ぶこと、という上昇志向なのである。受動（受容）の愛ではなく、積極的な愛、変革の愛なのである。しかし、この愛は、熱く燃えても壊れやすいものだ。

遠藤周作の弱い人間は、ぐうたら人間の居直り――「弱者に居直りつつ強者を補完する危険なもの」（高尾利数）(43)――などという批判がある。確かに、その危険性を持っている。しかし、ダメ人間の居直りと見る人は、多くの場合、能動的な人間、変革する人間を前提として考えているようだ。弱者が弱者として生きる思想、その立脚点にいない気がする。人間のすべてが弱者なのではなく、弱者としてしか生きられない人間の問題なのである。その人間がこの世でいかに生を全う出来るか、そのことへの遠藤周作という作家の一つの回答と思われる。能動的な主人公に行詰まった現代演劇において、遠藤戯曲の主人公は、新しい受動のドラマを産む可能性を持っていた。そして、遠藤周作は、「黄金の国」の次の作品「薔薇の館」において、受動的人間を主人公にすることを実現している。しかし、それ以後の作品では、再び、サブ的な主人公に後退している。遠藤周作の演劇観が、ウエルメイドプレイ＝よく出来た楽しい芝居へと旧来の演劇へと、なぜか傾いたためであり、従来の演劇概念を打ち破らなかったことである。そしてそのこと以上に重大なのは、遠藤周作が戯曲を書かなくなったことである。結局は、例えば、『深い河』の主人公大津のような人間は、演劇の主人公として成立しなかったのだろう。

遠藤　周作　その2　「薔薇の館」（一九六九年）

「薔薇の館」は、一九六九年十月号の「文学界」に発表された。以後多くの出版があった。新潮書き下ろしの『薔薇の館・黄金の国』（新潮社）、『遠藤周作文庫――薔薇の館・女王――戯曲・シナリオ集Ⅱ』（一九七七年三月、講談社）、『遠藤周作文学全集９（戯曲）』（二〇〇〇年一月、新潮社）、などである。三幕八場のオーソドクスな展開をもち、平易なせりふで解りやすいが、ぐいぐいと引き付けられて行く。だが、主人公が劇的に活躍するようなシーンはほとんど無い。主人公と思えるウッサンという青年修道士は、情けなく、うろうろして、泣きじゃくり、決して劇的行動者ではない。この作品では、主人公の周辺に複数の人間が描写される。それぞれの人間にそれぞれの物語がある。思想上の問題から、戦時中であるゆえ、国家に触れる行動や思考は禁止されるか、処罰の対象になる。昭和十七年から二十年の終戦まで、厳しい時代制限の中で、軽井沢の小さな教会で、憲兵に睨まれながら、人々は窮屈な、しかし、精いっぱいの生活を送っている。日本に三十五年もいる神父は、敵国に繋がる者ゆえ抑留され、かつて拷問を受けて今は監視されている人間、などの生活が描かれる。心優しい地元の娘を恋しく想う大学生がいる。この青年・高志に召集が来る。徴兵の延期を望むが、徴兵が延期されることはなかった。徴兵延期は停止され、悩む。

高志　じゃあ、ウッサンさん。教会って一体何なんです。日曜ごとに、盗むなかれ、姦淫するなかれ、殺すなかれという言葉を、唱えさせたくせに……ぼくだけじゃない。沢山の信者の人が赤紙もらって志那やフィリピンに出征するのに、戦争というのは、結局は人と人とが殺しあうことだと心じゃ百も承知しているくせに、神父さんも日本の教会も、見て見ぬふりしている。(44)

青年の悩みは深く、入営に行く列車の途中、飛び降り、脱走してしまう。ウッサンの教会へ逃げて来るが、ウッサンは何も答えることができない。青年高志の恋人は、気が狂ってしまう。信仰についても、ぎくしゃくしてくる。憲兵に睨まれる夫婦（清岡・妻、芳子）も、信仰での迷いが出ることを指摘される妻と、信者ではなかった夫が信仰に近づく姿が浮かんでも来る。

清岡　〈妻・芳子に言う〉お前はあの時、離婚しなかったばっかりに、自分の一生が無意味で無駄になったことを承知している。その心の奥の奥で、……本当は……自分をそのような運命にさせた教会や基督教を恨んでいるんじゃないか。いや、恨んでないにしろこの宗教を疑っている。ただ、それを口に出すのが、怖ろしいんだろ。口に出してしまえば、もう心の空洞を埋める代用品はないからな。(45)

高志が教会へ逃げ帰って来た。が、ウッサンは、怯えたまま何も言えない。

清岡　ウッサンさん、彼をかくまった者も罰せられるんですぜ。……すぐ、あなたが警察か役場に連絡しなければ、あなたも罰せられるんですな。逃亡を助けたという理由でね。そうすれば、あなたもつかまる。この教会は、終わりになります。また、お祈りか。アーメンの祈りなど、この際、何の役にも、たちはしない。(46)

信者ではなかった夫が信仰に近づく姿が浮かんでも来ると先に触れたように、妹の勢子が兄・清岡に言う。

勢子　兄さん、今、なぜ泣いていたんですか。あんなにウッサンさんをからかい、神さまがいない、いないと迫るんですか。いないものになぜ執着するんですか。兄さんの不幸はね、結局、この聖書の時代に生まれなかったことだわ。

清岡　聖書の時代に生まれたら、どうなんだ？

勢子　その人に会えたじゃないの。

清岡　その人……俺は、その男に毛ほどの興味も関心もない。

勢子　いいえ。嘘、関心がない筈はないわ。関心があればこそ、兄さんは姉さんに嫉妬したんじゃないの。

清岡　嫉妬？　男の俺が……芳子の何に。

勢子　姉さんが、その人によって、一時でも兄さんより生きる拠りどころを見つけられたことに嫉妬したじゃないの。(47)

ウッサンは、昭和二十年八月十五日に、抑留所に引き立てられることになる。彼は、高志の恋人（トシ）の作ってくれた葡萄の液を、それは鼠を殺す薬の入った毒薬であるが、それと知った上で……

ウッサン　トシちゃん。わたしにできること……このことだけ。わたしが……トシちゃん、あなたのために、できますこと、このことだけ。この葡萄の液を飲みますことだけ。わたくし、駄目な男。駄目な修道士。高志さんがあんなに苦しみました時何もできなかった。トシちゃんが苦しみました時、何もできなかった。(略)だから、わたくし、それを背負わねばなりません。(48)

天皇陛下の玉音放送があって、日本が敗戦したことがわかり終戦になり、ウッサンは抑留地へ行かなくてよいことになるが、そのとき、すでにウッサンは毒を飲んでいた。ウッサンは、敢えてしたのか、カトリックでは自殺は大罪なのに。

八カ月後、神父が帰ってくる。

夫人 ウッサンの肩に、みんなが背負い切れぬほど重い荷物を背負わせた。わたくしもその一人なんです。……結局、あの人はみんなの重い荷物によろめいて……(49)

ウッサンは、劇的演劇の劇的行動者のような多くの出番と多くのセリフがあるわけではない。積極的な行動はなく、受け身そのものである。自分で駄目な男というが、行動においても、駄目な男である。だが、罪を背負って生きよう(死のう)とする力弱いが、死ぬことを決心できる強い人間なのであろう。ウッサンという人間のなかには、受動的行動の中に、能動がある姿が見える。作者・遠藤周作の格闘が見える。

＊遠藤周作(一九二三〜一九九六年) 小説家、劇作家。東京生まれ。慶応義塾大学仏文科。カトリック教徒。キリスト教を主題にした作品を多く執筆。イエス像などについては、キリスト教関係者の間でもしばしば賛否両論を含めた論評の対象になる。小説『白い人』で芥川賞を受賞。『死海のほとり』や『イエスの生涯』など多数の作品がある。

【注】 遠藤周作その1・その2

(1) 「東京新聞」一九六六年三月
(2) 「俳優座」第三六号　一九五九年十一月
(3) 「朝日新聞」二〇〇〇年四月十五日朝刊。〈遠藤周作二十五歳の初戯曲〉
(4) 文学畑の方のもので目に触れたものとしては、武田友寿『『沈黙』以後』（女子パウロ会）、上総英郎『遠藤周作論』（春秋社）
(5) 木下順二のドラマ論における言葉。
(6) 武田友寿『『沈黙』以後』女子パウロ会、一九八五年六月
(7) 笠井秋生『遠藤周作論』双文社出版、一九八七年十一月
(8) 佐藤泰正編『方法としての戯曲』笠間書院、一九八八年八月。高堂要の「方法としての戯曲」を参考にした。
(9) 「解釈と鑑賞」一九七五年六月。菅井幸雄「神と人間との位相」
(10) 岩波剛『現代的劇の位相』深夜叢書社、一九八一年二月
(11)・(12) 遠藤周作「黄金の国」のせりふ。「文芸」一九六六年五月号、河出書房
(13) 遠藤周作 小説『沈黙』の冒頭
(14)〜(20) 遠藤周作「黄金の国」のせりふ。「文芸」一九六六年五月号、河出書房
(21) 「世界」一九六六年六月号
(22)〜(33) 遠藤周作「黄金の国」のせりふ。「文芸」一九六六年五月号、河出書房
(34)・(35) 遠藤周作小説『沈黙』
(36)・(37) 遠藤周作「黄金の国」のせりふ。「文芸」一九六六年五月号、河出書房
(38)・(39) 武田友寿『『沈黙』以後』女子パウロ会、一九八五年六月
(40) 遠藤周作「黄金の国」のせりふ。「文芸」一九六六年五月号、河出書房

（41）遠藤周作『死海のほとり』一九七三年六月、新潮社
（42）「別冊新評・遠藤周作の世界」遠藤周作「異邦人の苦悩」一九七三年十二月、新評社
（43）高尾利数「イエス・キリスト教・カトリシズム 遠藤周作の場合」、「解釈と鑑賞」一九八六年十月号、至文堂
（44）～（49）遠藤周作「薔薇の館」のせりふ

▼矢代 静一　その1「宮城野」（一九六六年）

矢代静一は、一九二七（昭和2）年生まれ。有名な靴店の長男で、銀座通りでの生まれだそうである。何故か、野暮ったい粋な都会人。早稲田大学仏文科。一九四九年、俳優座から文学座へ（文学座は「喜びの琴」事件を契機に退団する、一九六四年）。在学中からフランスのジロドゥやアヌイに引き付けられる。卒業論文は、ジャン・ジロドゥ作『テッサの研究』。一九五四（昭和29）年「城館」が「新劇」創刊号に掲載される。なお処女作は、一九五〇（昭和25）年「働蜂」、文学座アトリエで公演。二十三歳のときである。矢代には、二つの作品系列があると言われる。自己の内面を追求するドラマと、大衆性を重んじた遊びのある作品群である。戦後は、プロレタリア演劇の系統と芸術派の系統があると言われるが、矢代は、いずれの系統にも属さない戦後派の劇作家と言える。一九六八年以降、神への信仰を告白してカトリックに入信する。

信仰を主題にする、あるいは、信仰が背景になる作品も矢代の魅力として色濃く浮上することとなる。勿論、入信する以前から、神に心寄せるような人間像を書いていた。劇作家であるが、当初は俳優であり、翻訳も演出も試みた。戯曲の上演も、文学座だけではなく、新人会、青年座、新派、宝塚歌劇団、ＮＬＴ、俳優座などで広くなされた。

矢代には、登場人物が二人のみであるが、心惹かれる作品がある。一九六六年。三十九歳の作品「宮城野」である。ト書には「時・天保八年秋の夕暮れ。場所・江戸麻布の色街（岡場所）の義理にも上等とはいえぬ座敷」

とある。その座敷に、〈宮城野〉と、にせ絵師の〈矢太郎〉が、酒魚を前に置いて二人で話している。宮城野は、娼婦。矢太郎は、東洲斎写楽の弟子。

矢太郎　おれあ、人殺しなんかしてねえよ。
宮城野　あら、そうォ！
矢太郎　だいち、殺しができるほど、度胸のある男に、おれがみえるか？
宮城野　度胸のない人にかぎって、殺しをするのよ。ほんとに度胸のある人だったら、殺したくなってもさ、じっとこらえる、こらえる。

（中略）

宮城野　……あの大雪の晩、体どころか、心まで冷えきっちゃって、くたくたになったものだわ。それを……溜池のあたりで行倒れみたいなあたいを、あんたが介抱してくれてさ、家まで連れてってくれて、あったかい〈夜なきうどん〉をごちそうしてくれた。汁も薬味も、具も、わざわざ、新しくしてくれて……あたい、バチが当たると思った。だって、商売用のうどんをわざわざあたい一人でいただくんだもの、そうそう、あの日が、あんたと会った始めだったわね。あんときの親切、わたし、忘れてないわ。さ、今度は、あたいが助ける番よ。ね、なんでもかくさず言ってちょうだいな。裏切りなんかしないから。あたい、ある人から、きいちゃったのよ。あんたが写楽先生をはずみで……
矢太郎　（恐怖で立ち上がる）……そ、そんなバカな。だれも知らねえはずだ。
宮城野　そうよそうよ。あたいのほかは、だれも知らないのよ。
（矢太郎、懐から、庖丁を取り出して、身構える――が、まるで、さまになってない）
矢太郎　ま、いいやな。どうせ、いずれは、役人の耳に入るんだ。一日早いか遅いかのちがいぐらいなものさ。捕えたけりゃ捕えりゃいいや。（1）

矢太郎は、写楽の模倣画である絵を宮城野に与えて、写楽の孫娘おかよとのいきさつを話す。おかよを嫁にしたらどうか、ということをやらしく写楽が詰め寄ったのだ。矢太郎が写楽を殺したことは、宮城野は、おかよから聞いたのであった。宮城野は、矢太郎が好きであったが、おかよと逃げろという。ところが、矢太郎の告白は意外なものであった。

矢太郎　すまねえ。(にこりと笑って) これっきり会えねえかもしれねから、こっちの方も白状しとかァ。おれが、写楽を殺したのは、たしかに、おかよが、はずかしめられたからだ。けど、それだけじゃねえ。それだけで殺しをするほど、おれァ、阿保じゃねえ。いくら前後不覚に飲んでたとしてもだ。いいか、写楽が、この世からいなくなりゃ、これから先、おれの画くにせ絵のもうけは、みんな、おれのフトコロに入るじゃねえか。くわしく言えば、版元の蔦屋と、おかよとおれの三人のものだ。あばよ、普通の女なら、これで愛想をつかしもしようが、お前は、ダメなやつに味方をしてくれる妙チクリンな病をもっているからな。こっちも、もう、一ぺん、言うぜ、あばよ。(2)

普通の女なら、彼の言葉を聞いて、怒り狂うところである。しかし、宮城野は、ダメなやつに味方をしてくれる妙チクリンな病を持っているかのように、(一旦は怒るが、すぐ気を変えて) 許してしまう。彼が逃げる事を祈りつつ、彼女は窓を開けて叫ぶ。

宮城野　ちょっとちょっと、そこのいきなおにいさん、あ、いま、こっちむいた、やせっぽちの旦那でもいいや。あのね、暇な人、ちょっと、そこの番所へご注進にいっとくれよ。天下の東洲斎写楽をしめ殺したおっそろしい女が、ここにいるってね。ほれ、ほれ、ほれ、この絵が証拠だ。写楽の絵は、いい値になるんでね。盗みに入ったんだよ。そしたら、みつかちゃってね、みつかっただけなら、まだいいんだけど、とんだ助平じいさんでね。許してやるから、帯ほどけっていうのさ。ま、七十近いお歳で、それだけ元気なのはなによりだけど、やっぱりねえ、そんなこんなで、組んずほぐれつ、からみあってるうちに……あの世へ、行っちゃった……。（3）

宮城野は、東洲斎写楽を殺したのは、自分だと声をはりあげる。お上に捕まることを進んでする。恋をしている二人のために、愛した男のために、この娼婦は、罪を自分に引き受ける。状況を引き受け（状況を受動し）、最後に行動（能動）することになる。受動の能動である。世間的には、娼婦は穢れた女であるが、この娼婦は、〈聖女〉なのである。

矢代 静一　その2「漂流の果て」（一九七八年）

主人公・重吉の手紙の中のせりふであるが、そしてそれは、この劇の最後のせりふであるが、なにか、なぜか、ひっかかるのである。いや、印象的な、そして、笑えるせりふなのである。

お光　（重吉の書置きを再び取り出して）「会ったことのない人間がたくさんいる、この広い広い世の中で、お光、お前さんとめぐる り会えたことを、俺は、あの方様に、礼をいう、ありがとよ、ただし、めぐりあったのが、ちょっとばかり遅すぎたことについて、俺は、文句をつけたく候。あの方様は、ときどき、仕事に手を抜く、よくねえ癖がおありで御座候」（4）

〈あの方様〉とは、神のことであろう。そしてなにより愉快なのは、「あの方様は、ときどき、仕事に手を抜く、よくねえ癖がおありで御座候」と言う。神が手を抜くことがあるとは、笑えてくるではないか。外国の船長にごく最近教えをこうたにすぎなのに、主人公の信仰心の厚さが感じられる。作者の信仰心も同時に感じられるのではないか。

「漂流の果て」は、三幕構成だが、一幕が漂流する船で、二幕が幕間狂言風になる。三幕は、幕前と海辺、そして、重吉と彦之進が伝馬船に乗って海上。

第一幕は、時は文化十四年。十四人が長者丸に乗り込んだ。尾張から江戸へ。途中、暴風雨に会い、七カ月漂流。食料も殆ど尽き、飢えと気持の乱れから倒れ、五人になってしまう（重吉、お光、彦之進、音吉、房次郎）。音吉が釣って来た鰹を房次郎は盗み食いする。止める重吉と争うが、房次郎が死んで（殺して）しまう。これを見ていた彦之進は、これをネタに重吉に纏わりつく。房次郎の許嫁であったお光に言えないが、外国船が見えたとき、ひょんなことから重吉はお光を抱いてしまう。

第二幕はなぜか、幕間狂言風になっている。観客を楽しませるための仕掛けか。インディオの大女ブリギッタを偶然のように船に乗せ、彦之進と楽しく絡ませる。そして、第三幕である。

無事帰ってきたようである。帰ってきた五人、踏み絵を踏まされる。彦之進と音吉はなんなく踏むが、お光は、役人にそっと背を向け、十字を切り〈アーメン〉と唱え、神に許しを請いて踏む。重吉も踏む。ブリギッタだけは本国送還になる。そして、重吉は、妻やお光に金を残すため、音吉のアヘンを運ぶ船に乗る。アヘンと一緒に海に沈む決心であった。なぜか、彦之進も船底に隠れていた。二人の奇妙な船旅が始まる。面白いことに、彦之進が嫌っていた重吉に親しさを覚えている。しかし、二人は沈んで死ぬ。

重吉は、積極的には行動しないが、受け身ではるが、自分を取り巻く情況を背負って生きている。他人や家族に愛を失わずに、しかし、哀しみや不幸を嘆きながらではあるが、懸命に生きている姿を見せている。劇的行動者のような英雄ではないが、平凡な日常の中で、小さいながら、生き貫いている人間を作者は、描いている。重吉も受動的な主人公といえるだろう。

＊矢代静一（一九二七〜一九九八年）　劇作家。早稲田大学仏文科。文学座に籍を置いたが、俳優座にも在籍したが、多くの劇団で上演される。フランス演劇の影響が強く、洒落た、艶のある作品を書くが、「夜明けに消えた」で神への信仰を持ちカトリックへ入信。「北斎漫画」など絵人を描いた作品が代表作とも言える。

▼人見嘉久彦　「津和野」（一九六七年）

作者は、一九六四（昭和39）年に「友絵の鼓」で〈岸田戯曲賞〉を受賞している。一九六九（昭和44）年に、カトリックの洗礼を受けている。田中千禾夫の弟子と任ずる。津和野は、長崎の隠れキリシタンが流された場所の一つである。「津和野」の主人公・佐城えう、の言葉が、幕開きのトップに据えてある。舞台は明治三年のことである。

えう　ああ、自由！　この節《きり》はやりの自由ちゅう言葉が、わたしのあん時の、切支丹への憎しみを消してくれるものならば……（5）

その、あん時に、えうの父親が、切腹する。父親は、津和野藩説得役・榎帯刀と言う。

帯刀　なしても転びんさらんか、さらんか。
仙右　（かぶりを横に）御一新になって三年。じゃがまだこれたい。うんね。
帯刀　ならばまた光淋寺の氷の池叩き込むけえ。糞といばりたれ流しのあの三尺牢へ孫娘同様どぶ鼠のごと、ぶっ込むけえね。

仙右　よかようになさりまっせ。
帯刀　なあ仙右衛門。長崎からこの津和野へ流されてきたきりしたんのなかでも、そちは名主までもつとめた頭分じゃ。物の道理をのみこんで転んでくれれば、あとの百五十人の百姓は自然に従う。
仙右　（黙って、拒否の意をあらわす）**(6)**

榎帯刀は、切支丹高木仙右衛門らを転ばすことが出来なかったゆえ、力及ばずと、相手を斬るとみせて抜いた短刀を、わが腹に突き立てる。娘・えうは、この父親の姿を見る。

えう　やはり、あの衆たちが父上を殺したにゃちがいないのじゃけえ。き、り、し、た、ん……　**(7)**

この場で、何故か〈マリア〉が口をきく。えう夫婦の部屋にはマリア像があった。佐城の家には、信仰を持ったひと、信者がいたのであったのだろうか。

えう　憎む……二十年ほど前のあん時も、いままで、わたしの自由を奪っているのは……奪い続けてきたのは、あん時と同じ憎しみ……鉄と、きりしたんへの気持が二重写しになって……　**(8)**

第一幕第一場のラストのせりふである。そして、これ以来であろう、えうは、切支丹を憎む。だが、第二場になれば、えうは造酒屋の嫁になっている。明治二十六年（二十三年後）である。先の主人を亡くし、その弟・信次の妻になっている。その上、えうには、恋人・萃《あつむ》と出来ており、昔の恋人・鉄への恨みも消えていない。えうは、萃と駆け落ちするつもりだが、なぜか、踏ん切りがつかないでいる。しかし、萃には感謝しているところもある。

えう　女とはこがあに踏みつけにされる生涯かと半ば諦めていた矢先、あの萃さんがござった。珍しゅう霧の晴れた日じゃった。新しい絵の話はもとより、小説、詩、音楽、お芝居……ひいろい東京に起こってる文明開化の噂を……景山英子ちゅう先生が自由民権を唱えて女のしあわせを訴えたり……（略）虫けら同然扱われてきたわたしは……（略）はじめて女としての生き甲斐を覚えたじゃ……(9)

脇筋（わきエピソード）が多くあって、ここでやっと第二幕が始まる。

えう　憎む……宥すとは……あの憎い鉄がどがあ風な出方をしても、この傷のことを宥せる菩薩みとうな、ひいろい心を己れ自身が抱くこと。……そげな己れであることを、わたし自身のこころに納得させること……。そるも自分だけの力で、そるが出来れば……わたしは自由になる。これまでおどおど生きてきたわたしじゃけんど、今夜こそは覚悟を決めて……わたしなりの大芝居を。(10)

えうは、画家溝井萃を愛するが、この地に戻って来たかつて自分を手籠めにしようとして胸に火傷を負わせた〈来栖鉄〉に対面する。

えう　鉄さん、あなたはなしてあん時、わたしを抱いてくれなさらんかったじゃ。終《つい》の終《つい》までわたしを奪い、己れのもの、鉄のものと定めてはくださらんかった……

鉄　……

えう　（恥ずかしそうに、顔を埋めたまま）あん時のわたしは、もうあなたの腕に任せていたも同然じゃった。あなたの鋼みたいなこのかいなのなかで、わたしは雪崩を前にした青野山のつぐみみたい、その先を待って震えてたけえ。そるが……

鉄　……

えう　恥じゃ。女子を憎んでおられたのなら、あなたはもっとも効きめの強い、この上ない恥をわたしに与えなされたのじゃけえ……

鉄　女がどれほど俺を憎んでるかということは、俺の女への憎しみを量る物差しだ。勲章代わりの計量器なのだ。（抱き締める）

えう　そるが好き……その情容赦もない逞しさが好きじゃ。（また襟元を掻き合わそうとする）

鉄　（襟元を手荒く開いて）えう……

えう　痩せられたけえ、おうち……（しかし、触れなば落ちん風情であった）

（誘惑に勝てず彼女を抱いた。身をかわされると、筵に平伏するようにして、えうを求め、顔と顔を重ねた。かなり長い抱擁ののち、裾に手が伸びかけると、えう、頃合いを見計って毅然と鉄を突きのけ、笑った）**(11)**

鉄は、唖然としたが、えうは、「ほんに、上手に罠におちんさったけえ。」と笑った。ただ、鉄は、意外なことを言った。

鉄　有難うと言ったんだよ、ほっとしたんだ。

えう　……？

鉄　やっとだらしのない俺になれて、俺自身の本姓に戻れて……

えう　なんちゅわれたけえ……

鉄　俺は終始ありのままの俺に……傲慢だが女好きで、虚勢を張るが誘惑にもろい、雄犬みたい意地汚い、罪深い本来の俺の姿に戻りたかったんだ。罪の姿としての俺を、俺の目の前に突きつけたかったんだ。だが、罪とい

う言葉が怖かった……（12）

えうは、鉄を宥したのか。二人は、躊躇《ためら》いなく別れたようだ。

えうは、少し前から、だんだんとではあるが、切支丹に対して憎みは残っていたが、なにか惹かるるものもあった。えうは、わたし自身の神様をみつける必要があると思うようにもなっていたようだ。

えうの娘・加代が、母・えうを救おうとする善意から、萃と自分が結ばれることを告げる。加代は萃が母の金が目当てであって、愛情など嘘だと言う。

萃　……僕は自分の金がほしかった。（略）紐つきでない金さえありゃ、自由に絵がかける。わが国に新しい絵を生みだすために……ひとりぐらいの女が傷つこうが……どうしようが構わないと思ったけえ。なんたる思いあがり……

（略）

えう　……鉄を宥したはずなのが、萃さんを宥せなかったはね。わたしがなにをしても宥される立場にみずからを置いたためじゃった……。己れが、加代たちの言う神様の立場に立ったためじゃった。わたしちゅう人間は、もっと大きな……この緑の空の奥の奥にある巨《おお》きなものから譲り受けているもののはずじゃろうになあ。……そるに乙女峠の出来事のため、どがあしてもそのものに己れを預け切る決心がつかんじゃった。ほんで、こんな惨めな立場に落ちこんじゃったんやが……（激しく）……それならそれでええ、己れが天皇様のごと、神様になり切って、なにをしても宥される、なにをしても絶対に誤りのねえ神様になり切って、父上を殺したきりしたんたちでも憎み続けられたらどがあじゃろう。こるこそ、自分がまるごと、自由になることじゃないじゃろか。自分自身に、神様みたいな、絶対の自信が持てることじゃないじゃろうか……

（略）

えう　父上！　あなたの死なれた意味がわかりかけてきましたじゃ。あなたは侍じゃった。誰のためでもない。己れのためにこそ死なれたと、わたしは思いたい。

（居間の箱から朱鞘の短刀を取り出した）

えう　……裁かれる立場に立ったわたし……誰が裁く……誰が宥す……

（しっかりした声で刀を抜き放って言った）

えう　己れのした始末は、己れの手で……（そして一声哀れに）わたし自身の、人間の自由！

（と、たぶん奇跡か、床の間のマリア像がくるりと表を向いて、接いだ首の辺りから黒い血がたらたら流れはじめたではないか。どこからか、ますます深くなる霧と、舞う雪のなかからだろう、「まちごうとるがなあ、まちごうとる……」と暖かく、優しい女の声が聞こえてきた）(13)

えうは、父親が切支丹を転ばすことが出来なかった責任を切腹という形で結末をつけたように、朱鞘の短刀で己れに解決をつける。ラストにマリアの声が聞こえてくる。それは、えうをかわいそうにと言い、霧はかならず晴れる、霧にまどわされんように、と発する。

この作品のサブタイトルに〈霧にまどうて〉とあったが、果たしてえうは、霧にまどうたのであろうか。造酒屋の内儀として立派に働き、新しい恋をし、かつての恋人との関係も処理する行動力は、行動的であり、すさまじいものであったと思える。切支丹嫌いから、徐々にキリストに近づいたえうにもかかわらず、作者は、えうを劇的行動者として描いてしまったようである。

信仰を持っていると言っても、簡単に受動的主人公を見出せる道筋に行くとは限らない。自分に取っての演劇とは何かという追求のプロセスが必要だったのだろう。

蛇足ながら、えうが嘗て愛した男・鉄は、来栖鉄という。苗字がなぜ〈来栖〉（クルス）なのか。クルスにして作者が、何か書こうとしたのかもしれない。

＊**人見嘉久彦**（一九二七〜二〇一二年）本籍岡山市。読売新聞文化部。記者と同時に劇作をする。新聞社定年退職後、大阪芸術大学・教授。田中千禾夫のかつて住んでいた家に住み、弟子と任じる。戯曲集『友絵の鼓』を一九八六年一月出版。くるみ座で演出も。「悲劇喜劇」に劇評も書く。

【注】 矢代静一・人見嘉久彦
（1）〜（3）矢代静一「宮城野」のせりふ
（4）矢代静一「漂流の果て」のせりふ
（5）〜（13）人見嘉久彦「津和野」のせりふ

▼木下順二　その1「白い夜の宴」（一九六七年）
――木下ドラマにおける宗教的演劇という視点

1 はじめに

かつては左翼青年で、今は自動車会社の社長である父親役の滝沢修と、かつては安保闘争に加わったが、今は父親の会社で働く息子役の伊藤孝雄が、渡り合う対話が印象的であった。

「白い夜の宴」は、一九六七年五月・六月劇団民芸によって上演された。演出は、宇野重吉。筆者は、同年七月、京都（京都労演の例会）で観賞したが、すでに舞台の記憶はあまりない。父親役の滝沢修と息子役の伊藤孝雄の対話が記憶の中に、若干残っているくらいである。アーカイブという言葉を耳にするが、人間が一瞬で消え去る舞台を記憶にとどめる、だが、記憶にとどめるといっても、人間の意識の中だけでは限度があろうから、機械の中に留め置くというのも、ある意味では、大切に思われるが、そして、アーカイブという作業は、これから進むであろうが、生きたナマものの舞台の命はどうなって行くのであろうか。と思いながらも、そのようなものの記録があれば、記憶から消えたナマの舞台のことをもう少し思い出させてもらえたのかもしれない。ただ、アーカイブに関心が薄いほうなので、だからというのではないが、活字になった「白い夜の宴」の〈戯曲〉を基に考えを進めることにする。(「白い夜の宴」の戯曲は、最初「世界」の一九六六年九月号にドラマの一部が発表されて、次いで、「世界」の一九六七年六月号に決定稿が発表されたようである。単行本として同じときに筑摩書房から発行された。この研究では、この単行本と一九八八年九月に発行された『木下順二集6』(岩波書店)に掲載された戯曲を基にした)

2 「白い夜の宴」とはどのような作品なのか

驚きである。長い作品(上演に三時間近くはかかるだろう大作)であるのに、戯曲ト書に〈一幕〉となっている。〈第一幕〉なのかなと思っていたが、どうもそうではなさそうである。〈全一幕〉なのである。I~Vという景のような区切りはある。それに、IIの終わり(ページ数で半分くらいのところ)で、幕を降ろして、幕間をとってもよいような指示が台本にあるから、やはりある意味では、多幕物になる。しかし、作者は、戯曲に〈一幕〉としっかり明示している。本来なら幕を許さない緊張感が漲ったまま展開するドラマなのだろう。そのための〈全一幕〉なのだろう。にもかかわらず、物理的、生理的現象と妥協しての暗転(幕間)なのだと思われる。

「一九六〇年代の半ばに近いある夏の夜。庄内家の立派な応接間」とスタートのト書にある。〈父親の誕生日に家族が集まる〈宴〉が、毎年催されている。祖父と祖母、父親と母親、長女算子《かずこ》と亭主、長男一郎と恋人涼《りょう》、そして次男・次郎の九人が揃った一昨々年が最高だったらしいが、それ以後は減る一方だったのだ。そして今年は、父親と母親、祖父(祖母が亡くなった)、算子(旦那と別れた)と、一郎(恋人と別れた)、次男の六人となってしまったが、一郎がまだ来ていない。今は五人。冒頭のせりふが、見事である。

算子　「落ちつかないもんだな、来るはずの人が来ないっていうのは」(1)

「来るはずの人が来ない」とは、この劇の主人公を暗示しており、「落ちつかない」は、場面（状況）の不安定さを醸し出すせりふ、である。数行後にも同じようなせりふが続く。

算子　「来るはずの人が来ないために、あたしの中に生まれるこの不安は一体なに？」(2)

そこへ、一郎の恋人であった涼《りょう》が、一郎から来た不可思議な手紙を持ってやってくる。算子が予知能力を持っているらしいが、予知と推理でドラマを進めて行く。一郎が遅れてやってくる。自動車事故があって遅れたというが、嘘で、安保闘争を闘った、かつての恋人〈N〉と他愛無い対話をしていたという、意識の中でか。Nは安保闘争の時に、機動隊に殴られ、顔も滅茶苦茶され重症を負う。それ以来一郎とは会っていないはずである。現代的に言えば、サスペンスのような展開であるが、木下ドラマにはギリシャ悲劇的展開（コロス的、ときには、シェイクスピア的、「子午線の祀り」では「マクベス」的か）が顔を出して進む。

日本国家体制を支えた内務官僚であった祖父。左翼青年であって転向したが高度経済成長の波に乗る自動車会社社長の父。安保闘争に加わって挫折したが父の会社で拾われ有能な働き手となっている息子・一郎。ここには、日本国家の移り変わりの中に、転向の問題、戦争責任、安保闘争の問題、と大きな、うねるような現代史のテーマが追究されていく。

一郎は、会社の仕事の交渉で、韓国人と会っていたこと、その韓国人は、かつて父がなぜか治安維持法で捕えられたとき、留置場で朝鮮人に出合い、そして父親が朝鮮人を裏切っていたこと、そのことによって転向していたこと、そして今、そのときの朝鮮人が、一郎と商談で会う韓国人と同一ではないかということ、などが折り重なって舞台の表に出てくる。その上に、回想シーンが巧みに挿入される。しかも、例えば、かつての父親役を息子一郎役者が演じるのである。若かった頃の母親役を、涼の役者が演じるのである。そして、安保闘争の頃、樺美智子さんが死んだ同じ時刻に、一郎のその当時の恋人・活動家Nが倒れたこと、そのあとの一郎と涼の接近が、回想シーンで描写されもする。かつての友人(カゲさん)も挿入されてくる。一郎は、「現状を突き破って行かない限り人は生きて行けないという……Nの願いが自分の中に生きている」(3)こと、「自分でつくりあげた歴史を宿命などと呼ばない」(4)と叫んで、彼は遂に、父親の期待を裏切って、一旦成立させた朝鮮人との交渉を破棄してしまう。

ラストシーンで、その行為に対して、一郎は言う。父、母の反応が加わって幕となる。

一郎 「ばかだってことは分かってますよ。ばかよりもっと下の——何ていうのかな——青っぽい話だってこともね。——ただ、こんな青っぽいことでもやらかさなきゃ、今のぼくのこの状況は突き破れないんだ、この太平無事の状況は」

父 「大したことをやった気でいるんだろう? お前。大したことでも何でないんだよ。ただ、手間のかかるばかなことをやらかした社員が一人出たというだけのことだ。いま極東課長に電話したがね、つづくりようはいくらでもある」

母 「しなくてすむことを——やっぱりしちゃうのねえ、あなたって人は」(5)

父親は、あっさりと処理する。母親は、母親らしいことばをかける。応接間で交わされた長い時間の濃厚な対話は、一郎の自己認識と、その状況を受動した(受け入れた)末、能動的行為(実行)をする〈受動的能動〉と言える行為の告白で終わる。(6)

3 木下順二ドラマについて

一九六二年の「オットーと呼ばれる日本人」以来、「沖縄」、「冬の時代」など木下の最も充実した時期に書かれた作品の、「白い夜の宴」は、まぎれもない、しっかりとした作品であった。ただ、作者自身は、〈大難航〉したと述べている。

「この戯曲（「白い夜の宴」）も大難航した。も、というのは、五〇年代の終わりから六〇年代へかけて、私はよく難航することがあった。まず「東の国にて」（一九五九年）が前記のように難航し、次の「おんにょろ盛衰記」（六〇年）と「オットーと呼ばれる日本人」（六二年）はまあまあだったが、次の「沖縄」（六三年）が難航し、次の「冬の時代」（六四年）はどうにか行ったが、その次の六六年上演予定の「白い夜の宴」でついに難破した」(7)

「白い夜の宴」は書けず、他の作品「オットーと呼ばれる日本人」の再演に差し替えて延期されたが、この作品の上演時には、木下自身の苦渋にもかかわらず作品への注目度は高く、戦後を代表する劇作家であり、リアリスティックな作品を書いてきた劇作家と同時に、日本人の意識の問題（自己認識）、責任の意識を書いてきた作家であるという評価があった。繰り返し言われる、多くの評者の、木下順二をリアリスティックな劇作家として見てきた言が続いた。そのことはある意味で当然の見方であったかもしれない。

ところが、木下順二は、自伝的小説『本郷』で初めて、「私は熊本の中学生のころ洗礼を受け」(8)ていたことを六十九歳で告白している。それまでは、キリスト教的な精神を描いても、キリスト教には関係ないと注釈を入れているのだ。木下は自分の思索の原基形態となるようなものを、ひとことでいえば〈原罪意識〉とでもいうべきもの、と言っている。だが、クリスチャンである木下が、「原罪というのはキリスト教の用語で」と原罪意識をキリスト教のものと認めながら、「宗教の問題を離れてこのことばを使いたいのだが」(9)という注釈を入れていることに驚きをおぼえる。ここにも、木下ドラマを宗教にかかわる演劇作品とは読みとらず、リアリスティックな作品を書いてきた劇作家と考えるのは、ある種致し方のないところであろうが、しかし、である。木下作品を解明するとき、この宗教的側面をないがしろしておいてよいのであろうか？　いや、むしろ、この宗教的側面を解いてこそ、木下作品の解明になるのではないか。

武田清子という学者（国際基督教大学）であった人の、岩波新書『背教者の系譜』に木下順二の項目がある。「木下順二のドラマにおける原罪意識」である。木下順二への篤い分析である。武田によれば、木下順二は〈自称背教者〉だそうだ。それ故か、キリスト教徒であったことの告白を避けて来たのだろう。宗教劇ともキリスト教劇とも言われず、リアリスティックな作品を書いてきた戦後新劇を代表する劇作家だと刻印されてきた。だが、武田は、「キリスト教人間観と、民話劇によって発掘された〈日本人の自然〉の二つを木下ドラマの出発点」(10)においている。特に、「原罪意識をもった人間の主体の内実を見つめる眼が木下にあること」(11)を特色だと見ている。また、その「原罪意識が主体の確立と不可欠につながる課題として考えられている」(12)視点も特徴としている。この指摘は、演劇人がもっていた木下ドラマへのイメージ、既成観念に対して、違う観点を与えるものであったと思うのだが、演劇界で武田の指摘に注目した人は少なかったように思われる。

西洋演劇の影響による劇世界は、ドラマはドラマであって、人間と自然、人間と人間、人間と対象物との対立や葛藤を描いてきた。それがドラマであり、ドラマティックな瞬間や場面を持つ、劇的演劇であった。これに反して、受動的という観点からは、劇の主人公が劇的行動者ではなく、受身的な、状況を受け入れる（受容）する人間像が中心になる。さすれば、木下ドラマは、自己の内面の自覚であって、例えば、政治的行動を、積極的に行為するドラマの構築とは異なり、木下の場合、方向を変えた認識のドラマへとなっていったのだと思われる。では、木下は、いわゆる政治的演劇は、書かなかったのか。

「白い夜の宴」の後半に描かれる問題は、安保闘争の問題である。一九六〇年六月一五日の安保闘争は、政治そのものである。だが、「白い夜の宴」の世界は、国会周辺の現地録音の音源やデモのシーンが挿入されるが、必ずしも政治を直接描いてはいない。勿論、そこのところに木下戯曲の特質があり、「白い夜の宴」の特徴もそこにあるのであるが、木下作品にも政治が直接扱われることはある。それは、シュプレヒコールと呼称される分野の演劇である。一九六〇年、安保闘争が終わった秋に、訪中日本新劇団公演で中国へ行く時、シュプレヒコールが複数の劇作家によって書かれた。「安保阻止の闘いの記録」、「三池炭鉱」、「沖縄」という三作品（「テアトロ」No.２０５　一九六〇年十月号に掲載）がある。中国へはやはり政治的シュプレヒコールも持って行ったほうがいいだろう、というようなことがあったようであるが、この合作が生まれた。とすれば、木下は、中国だから政治的なシュプレヒコールを書いたのであろうか。

一九六二年発行の『木下順二作品集Ⅳ』（未来社）と、一九八八年発行の『木下順二集10』（岩波書店）に、「雨と血と花と」という放送劇が掲載されている。シュプレヒコールだが、放送劇という形で活字化されている。この「雨と血と花と」は、政治を直接描いた木下作品である。

「この放送劇、『雨と血と花と』といいますのは、一九六〇年六月一五日に、東京の国会周辺で起こった事実を中心に、なるべく正確忠実に事柄を記録しながら、一つのドラマをつくり上げようと試みたものであります」(13)

一九六〇年六月十五日とは、日本人の多くが忘れられない一日である。樺美智子さんという人が犠牲になった、あの日である。新劇人と共に行動した作者は、この日の体験をそのままの事実のみではなく、朝日新聞に投書された主婦の投書を使って、しかも、国会周辺の現地録音、実況中継を録音したテープ、などで〈せりふと音のみ〉で表現することが試みられたようである。作者自身も登場人物になっている。木下順二は、民話劇を書き、ドキュメント（シュプレヒコール・放送劇）を書き、現代劇を書いた。すべては、共通項を持ち、同時に、差異を持っている。これらの実態、特質は、どこにあるのか、さしずめ、「雨と血と花と」と「白い夜の宴」は、安保闘争という同じ世界を扱いながら、差異を持っている。「白い夜の宴」の世界から問題が浮き上がってくることと思われるのだが。

4 木下順二の宗教性

木下順二と宗教とは、どんな関係にあったのであろうか。小説『本郷』に告白された信仰の過去。そして武田清子に戻れば、「自称背教者」の木下。キリスト教徒であったことを隠し続けた意識のありよう。だが、東大を卒業したら出て行かなければならないところに、違反であっても十七年間も住まい続けた東大ＹＭＣＡの宿舎。日本のキリスト教学生運動の代表として国際会議にも出席していたようであるし、「大学入学当時は本当のクリスト教徒になろうと真剣に考えていた」(14)とも語っている。しかし、新劇作品を書き続けた木下は、一切宗教には触れなかったし、作品の中に、イエスや宣教師もほとんど登場することもなかった。ただし、注目すべき発言はあった。それは、先にも触れた原罪意識である。

「考えたことの一つというのは、原罪のことです。藤島宇内君の『日本の民族運動』という本に、「日本人の三つの原罪」という短いエッセイがあります。日本の、というのは、おもに日本の近代のということです。三つ、と彼がいうのは、朝鮮人問題、部落問題と沖縄問題。原罪とは、人間の祖先、アダムとイヴが犯した罪を、子孫は、直接負っていないけれども、しかし自分たちの祖先が犯した罪をしょわなければならないという、根源的な罪を背負わなければならないという、いわば不合理な非条理な罪の意識というものだろう」(15)

これだけ原罪意識のことをはっきりと言いながら、これまた先に触れたように、「ただし、信仰のかかわる以外のところにおいてといわなければならないが……宗教の問題を離れてこのことばを使いたいのだが」ということを、ある意味で、堂々と発言しているのである。しかし、断わりをわざわざ入れるということは、逆に宗教を意識していたと言えるのではないか。木下の意識の中に原罪が横たわっていることは確かであろう。このことこそ、宗教的思考があったことを示している。それ故に、キリスト教人間観も出てくるのだろうし、そしてそのことは、人物像に〈受動的な精神〉のありようをみせる形象があることになる。この人間像こそ、木下の描く宗教的人間像と言えるだろう。と言っても木下自身は、この人間像を、宗教的人間像とは認めてはいないようである。木下順二と宗教を結びつけるのは、無理があるのかもしれない。これまで、木下を宗教作家と言った演劇人は、ほとんどいない。その証拠にと言えるかわからないが、例えば、『近代日本キリスト教文学全集』の戯曲篇に掲載された作品、また、『現代日本キリスト教文学全集』に掲載された戯曲、これらの全集に掲載された作品（作者）の中に、木下順二の名前、作品名はないのである。にもかかわらず、木下順二は、〈宗教的演劇作家〉であったと筆者には思われるのである。

5 「白い夜の宴」の父親と息子の劇構造

全一幕。応接間一つの舞台。その中に、構成された過去の空間（留置場やNとの場所）に分かれたりするテクニックは使われ、立体的にする工夫はなされてはいるが、緊張感を保って長時間見せるには、深刻すぎるシリアスな内容である。せりふも長く、観念的でもある。「リアリスティックな現実と、観念の、また意識の問題とをひっくるめていっしょに書こうと」(16)したために難渋した作品だが、戯曲（せりふ）は魅力的に読ませるのだ。三世代が描かれるが、前半は父親、後半は息子、それぞれに中心となるドラマティックなシーンが設けられている。いや、登場するのは、四世代とも言えるが、祖父と次男は、中心には来ない。父は大学を出て、親父（祖父）の希望の役人にはならず、左翼出版社に勤め、妻と出会う。治安維持法で獄中へ。同室になった独立運動をしていた朝鮮人と親しくなって、連絡を頼まれた書類を刑事に見つけられてしまう。そして朝鮮人を裏切って転向する。父の内面を語る回想シーンが挿入される。

その頃の父　「いや、もしかなんてことじゃない。確かなのは、ぼくが彼を裏切ったということだ」
父　「もし彼が、おれの行為を結局知らなかったとすれば――知らなかったのかも、知れないのだから――」

その頃の父　「たとえ彼がぼくの行為を知らなかったとしても、確かなのは、ぼくが彼を裏切ったということだ」

父　「彼はおれから裏切られたと思ってないかも知れない。たとえおれのあの行為を知ったとしても」(17)

〈その頃の父〉の役を、息子一郎役の役者が演じる。〈父〉の役は、そのまま父役の役者が演じる、うまい仕掛けになっている。

後半の一郎が学生時代の安保闘争の回想をするシーンも、その頃の父の心情と現在の父の思考の差異がくっきりと描かれる。女学生で活動家のNも登場させて、一郎と、涼も交えた三角図も仕組まれる。

前半が、父の問題、後半が、息子の問題が中心になっているのであるから、必然的にラストシーンは、息子が父親に対峙するか、父親と息子の対決が、ドラマティックに描かれることが期待されるし、描かれるはずである。そして確かに親子対峙のシーンが描かれる。

父　「あの頃の今と、おれの中身が少しでも変ってるというのかね？　生意気をいうな、なぜお前はそれまで緊張して対峙してたおれに頭を下げて現在おれの会社にいるんだ?」

一郎　「……涼と二人だけで、……歩いて行くという方向だってあった。しかしそんな自己満足の道を二人でひっそり歩いてみたって意味はないと考えたからぼくはお父さんの会社で頑張って来たんです」

父　「つまり転向した、か。……」

一郎　「……過去にどういう行為を自分がしていようと、それは過ぎ去ったこととして忘れておいて前へ前へ歩いてく。一枚一枚重ね着をしてふとって行く。お父さんがそうであるのなら、ぼくは一枚ずつ自分の皮をひっぺがして、痛い目に自分を合わして、そうすることで自分の過去を忘れないで……罪の意識も責任も感じてない世代の責任をしょいこんで」(18)

息子一郎と父親との対峙は、ドラマティックな対決描写のように見えながら、実は、父親と徹底的対立する時間進化ではなく、自己の罪への認識、または自己の責任の認識の方へ行く。劇的演劇におけるドラマ論から行けば、父との対峙は、父を支える状況（高度経済成長などの社会状況）に対峙する方向へ向かうことになろう。しかし、木下ドラマは、罪意識（原罪意識）へ向かい、オーソドクスなドラマ行為には行かない。ところが、そのことを批判の対象にする人もいる。

「〝父〟が誇る高度経済成長がもたらした環境破壊、拝金主義、それ以後の学生の無気力、無目的、無感動など、消費資本主義の実相を〝父〟と一郎の討論を通じて追求したほうが、ドラマトゥルギーの本道ではなかったのか、と惜しむ」(19)

右記の「白い夜の宴」後半の父と息子の対立構図へのこの批判――父と一郎の討論を通じて追求したほうが、ドラマトゥルギーの本道ではなかったのか――は、従来の対立・葛藤にドラマを求めているためと言えよう。従来の対立・葛藤におけるドラマティックな展開にしないところに、木下ドラマの特質があるのに、である。

6　木下順二の「オイディプス王」分析

木下順二は、日本にドラマをどうのように構築できるかを深く考えた人である。そのために西洋のドラマやドラマ論を研究した人でもある。特に、ギリシャ悲劇、ソポクレスの「オイディプス王」を分析して、ドラマ論を追求した、その深さには、大きな刺激を受ける。アリストテレスの〈発見〉〈カタルシス〉というキーワードをもちいて、オイディプスの能動的、劇的行動を通して、自己否定の契機を発見して、カタルシス、つまり浄化作用を、木下は、〈価値の転換〉を行なうという。〈カタルシス〉へのこの視点は、他の人々のカタルシス解釈を一歩も二歩も越えているように思われる。まさに西洋ドラマ概念を見出す努力を続けた劇作家でもある。

そこから、日本の伝統の中にドラマをどう構築できるか、民話劇、シュプレヒコール、現代劇を書き、その上に、全体演劇（全体戯曲）をも考えた人である。

その木下が、西洋ドラマ概念を追い求めたためか、「オイディプス王」の分析も、能動的に行動したオイディプスが、眼が開いていても自己自身について何も見えなかったことを発見して、自身の眼を貫くところで「オイディプス王」の分析は、終わりをとげている。しかし、ソポクレスの「オイディプス王」には、〈それ以後、長い長いシーン〉があるのだ。私見では、このシーンは、子どもとの別れでもあるが、能動的、劇的行動者であったオイティプスが、受身的、受動（受容）的な人間像になって行くところである。オイディプスは、自身が下手人であり、この国を汚した罪人であることを受け入れ、かつてスフィンクスの謎を解いてテバイを救ったと同様に、今度は自分が罪人であることを受け入れて、再びテバイの国を救うのである。劇的行動者であったオイティプスが、このラストシーンでは、受動的人間に変わるのである。

木下戯曲は、受動性に満ちた主人公の自己認識が描かれ、受動的演劇の姿を見せながら、オイディプスのラストに木下の意識が向いていないのが、疑問として残るように思われる。木下は何故このラストシーンをつぶさに眺めなかったのか。能動的（劇的）行動するオイディプスのみを見つめて、受動的人間に変化しているオイディプスを見落としたのか、そこまで解釈を進めなかったのか？　ただ、そのことは、木下自身が、受動的ドラマを意識的に構築したのではなく、自己のキリスト教的思考、または、日本の伝統的思考に視点を置いていたために、自然と生まれたもの——自然と生まれた戯曲作法であったということなのかもしれない。

7　おわりに

木下順二は、自分の作品を、受動的（passive）と言われることに拒絶はしないが、〈受動のドラマ〉とは、認めないように思われる。

筆者が「子午線の祀り」を論文（19）にしたとき、その論文を木下順二に手渡したのであるが、そして、木下

順二からハガキの返信があった。ハガキに示された木下から筆者へのことばは、

「あの長い作品をよく細かく読んで下さって、ありがとうございました。それも〝本郷〟そのほか古い文章もよく調べて下さって、passiveという視点から論じられた全体のご意見には小生として異論ありません。細かいところでは、再読すれば問題の出てくるところもあるうかとは思いますが、とりあえず右、お返事まで。東京本郷　木下順二」（ハガキの切手はまだ五十円）(20)

木下順二は、受動的（passive）とした筆者の視点に異論はないと述べているが、自分の作品が、受動的（passive）な作品である、あるいは、自分の戯曲は、受動的演劇である、とは一言も言っていないのである。木下の受動的演劇こそ〈宗教的演劇〉につながるものと想っている筆者には、木下順二は、宗教的演劇という観点を頑なに拒否しているのだと思わざるをえない。

木下には、かつてドラマが描いてきた人間と人間との対立・葛藤によるドラマ、その主人公は、劇的行動者（能動的な人間）であったが、そのようでものではなく、木下は、状況と向かい合うが、状況と対立・葛藤する人間でなく、状況に苦悩するが、状況を受け入れる人間を描いてきた。その意味では、能動的な人間ではなく、受動的人間を主人公として描いてきていて、〈宗教的演劇〉と言えるのではないか、と重ねて説きたいのであるが、西洋ドラマ論に強い想いをもちながら、日本の戯曲を考える木下順二には、受け入れがたいものがあるのであろう。しかし、敢えて再び言えば、木下戯曲は、アクションの演劇でなく、パッション（パトス）の演劇であると指摘できるし、「白い夜の宴」は、日本の三世代に渡る政治、経済体制に切り込む人間のありようを描いた現代演劇にはちがいないが、木下作品の特徴をみせる〈受動的演劇〉→〈宗教的演劇〉と言いたい。〈宗教的演劇〉とは、宗教そのものを扱った宗教劇ではない。宗教そのものを扱っていなくても、宗教の心、宗教的精神を題材にしたもの、宗教的人間観を持つ演劇、それらを宗教的演劇と呼ぶことは、可能ではないか。その

意味では、木下順二の戯曲は、受動の主人公を持つ演劇だと言えると主張したのである。

ただし今日まで、このような人間像が、ドラマ論に登場したことはない。もともと日本の精神風土は、自然に馴染む、融合する、つまり、人間はいかにして自然と融和して生きていくかという生活態度であると言われる。これに対して、西洋は、自然との闘争であった。自然を如何に征服するか、いかに変えて行くか、といったことがよく言われる。だから、日本では、対立概念のドラマは生まれにくいともいわれる。にもかかわらず、西洋ドラマを考え、日本的精神風土に近い、パッション（パトス）のドラマを追求しようとする木下順二の姿勢には興味をおぼえる。

【注】木下順二その1「白い夜の宴」

（1）〜（5）木下順二「白い夜の宴」戯曲のせりふ。筑摩書房、一九六七年六月

（6）演劇における受動的行動に触れた人は少ないが、アイルランド演劇研究者の山本修二と哲学者中村雄二郎に興味ある洞察がある。この二人の考えから刺激を受けるのは、受動的というとき、単なる受身ではなく、受身的な行為の姿勢があって、その中に能動的な行為が内包されてくるという。能動行動は初めにあるのではなく、受動した末に能動行為が生まれる。そのさまを、受動の能動、〈受動的能動〉と表記されることである。

（7）木下順二『木下順二集6』（「白い夜の宴」について）岩波書店、一九八八年九月

（8）木下順二『木下順二集12』（「本郷」）岩波書店、一九八八年八月

（9）木下順二『日本が日本であるためには』（沖縄）文藝春秋新社、一九六五年七月

（10）〜（12）武田清子『背教者の系譜』（木下順二のドラマにおける原罪意識）岩波新書、一九七三年六月

（13）木下順二『木下順二集10』（放送劇「雨と血と花と」）岩波書店、一九八八年七月

（14）木下順二『木下順二集12』（本郷）岩波書店、一九八八年八月

（15）木下順二『日本が日本であるためには』（戯曲で現代をとらえるということについて）文藝春秋新社、一九六五年七月

(16) 木下順二『木下順二集6』(「白い夜の宴」について) 岩波書店、一九八八年九月
(17)・(18) 木下順二「白い夜の宴」戯曲のせりふ。筑摩書房、一九六七年六月
(19) 新藤謙『木下順二の世界』東方出版、一九九八年十二月
(20) 木下順二からの筆者へのハガキ。二〇〇二年三月

木下順二　その2　「子午線の祀り」(一九七八年)
「〈子午線の祀り〉における受動的主人公」――〈平知盛〉と〈影身〉の人間像を中心に――

1　はじめに

戦後の「新劇」を代表する劇作家の一人である木下順二が『平家物語』を現代語化した戯曲に「子午線の祀り」という作品がある。この作品は、平清盛の四男・平知盛を主人公にした作品である。平知盛という人物は『平家物語』の中では、脇役的存在と見なされている。しかし、「子午線の祀り」の中における新中納言・平知盛の人間像は、木下順二という作家の特質を示すと共に、受動の主人公と言える興味深い人間像になっている。さらにもう一つ、この作品には、原作の『平家物語』には登場しない人物が、作者によって作り出されている。〈影身〉という女性である。影身なる人物もまた、受動の人間像になっていると言える。二人の人物像の形象は、従来の劇の主人公――能動的な行動をなし、弁証法的に展開する劇の世界を生きる主人公――と比べても、非常に興味ある側面を持っている。

この作品は『平家物語』を現代語化したという作品だけでなく、〈群読〉という形式――複数の読み手による朗読――が用いられ、演じる役者も、歌舞伎、能、狂言、新劇と総合性に富んだ上演になっているが、ここでは、〈平知盛〉と〈影身〉の人間像を中心に、主人公のあり様を見つめてみたい。

2 「子午線の祀り」という作品へ

作者木下順二が、そもそも『平家物語』そして新中納言・平知盛に興味を抱いたのは、遡ること一九五七年のことになる。作者の言葉によれば……

「『平家物語』というこの有名な古典への特別な関心を改めて――というよりは初めて――私の中に掻きたてていわば火をつけてくれたのは、何度も書いたことだが石母田正氏の『平家物語』であった。氏が献辞をしるして贈ってくれた岩波新書、今はもう古びた表紙が取れそうになっているその本の奥付を見ると一九五七年とある。「子午線の祀り」を書いた昨年からかぞえれば、ちょうど二〇年前のことだ。それ以来『平家物語』――の中でもことに知盛――について抱いて来た関心……」(1)

木下は、一九五七年に石母田正の『平家物語』に刺激を受け、「中でもことに知盛」に興味を抱いたと記して二十年後の一九七七年に「子午線の祀り」を書き上げている。これより約十年前、一九六六年、雑誌「展望」に、「日本ドラマ論序説――そのいわば弁証法的側面について――」の標題で、比較的まとまって『平家物語』に言及されたものが掲載されている。最も古くと思われるものは、一九五八年(石母田の『平家物語』を読んだ翌年)四月の「映画芸術」に「現代のドラマトゥルギー〈葛藤について〉の序説」に触れられている……

「『平家物語』そのものをというよりも、石母田正の書いた岩波新書の『平家物語』をである。その中で石母田正氏は――私のややあやしげな記憶によれば――こういっている。『平家物語』は一体どういうところがおもしろいのか。登場人物の中で平知盛を考えてみるに、知盛という男は自分そして平家とが、ついには滅びるということを、どういうわけか予感している。知っている」(2)

木下は、この時点で「知盛という男は自分そして平家とが、ついには滅びるということを、どういうわけか予感している。知っている」ということに着目し、『平家物語』では副次的で、目立たない知盛に注意をむけるキッカケを石母田に与えられている。

その石母田の岩波新書『平家物語』には……

「知盛は物語のなかで、一方の大将ではあるが、めだたない存在である。清盛、重盛、宗盛・維盛等の平氏の主要な人物にくらべれば副次的な人物にすぎないし、教経や重衡等のはなはだしい活躍に眼をうばわれていると、見うしなってしまいそうな人物である。作者の創造した多様な平氏の公達の群像のなかで、見えかくれする程度にあらわれてくる平凡な武将である。しかし平家物語を一読して、忘れがたい印象をのこす人物の一人は、この知盛であろう。（中略）知盛は重盛のように平氏が滅亡すべき運命にあると予言しているのではない。平家にとって運命が開けることもあり得るともいっている。彼はただ自分の一族が滅びるにしても、興るにしても、人間の力の及ばない運命に支配されていることを確信しているだけである。（中略）自分の一族、あるいは時代そのものを動かしているところの運命を確信しているからといって、彼がその運命を回避したりそこから逃れようと努力しなかったのも興味がある」（3）

木下は石母田の知盛像――平凡な武将であるが、忘れがたい印象を残す人物像――に興味を持ち、そしてまた、運命の支配というものがあるにもかかわらず、その運命をあえて回避しようとしなかった知盛という人間は、まさに木下が長く追究してきた〈ドラマ論〉の中の人間像と重なり合っていた。しかし、木下がずっと追い求めてきたのは、西洋のドラマであって、日本の作品においてではなかった。むしろ日本の作品には、ドラマがないという指摘の方が多かったのである。『平家物語』は、まぎれもなく日本の古典である。にもかかわらず、その中の人物にギリシャ悲劇的にドラマティックな人物が描かれていたと木下は言うのである。しかし、これほどまでの石母田からの刺激にもかかわらず、実は、木下は『平家物語』の現代劇化をすぐには果たさなかった、いや、果たせなかったのである。その間、なんと約二十年の空白があったのである。何政、そのような空白が出来たのであろうか。数多くのスケールの大きい作品を書き上げてきた木下順二という作家が、である。もしかすれば、この時間経過の中に、大きな問題があるのではないか。木下が内に持っている人間への憶いと、西洋から摂取したドラマ論との間に、摩擦なり亀裂なりの問題が潜んでいるのではないか。「子午線の祀り」を書くまで二十年の空白があったのであるが、しかしそれは、単なる空白ではなかった。その一つには、木下は、『平家物語』の朗読劇を実現しているのである。一九六七年に「山本安英の会」の〈ことばの勉強会〉が発足し「日本古典の原文による朗読はどこまで可能か」という古典を読むことのテキストに「平家物語による群読――知盛」という作品が木下によって構成されている。これは、一九六八年に岩波ホールで発表され、一九六九年六月に音盤化されたようである。『子午線の祀り』のこれが原型であったのだと、今にして考える」という作者の言葉もある。しかし、「子午線の祀り」ができあがるのは、これよりさらに十年後なのである。

「子午線の祀り」が、書かれるのにこれほどの時間を要した一つの理由に、作者木下が最も信頼する女優山本安英に、「子午線の祀り」の俳優としての出演を望んでいたことが考えられる。そのことは、「平家物語による群読――知盛」が、山本安英を中心に朗読されていることでもわかる。この時、知盛の役は山本安英によって演じられ（語られ）ている。だが、主人公・知盛は、男性である。舞台で女優山本安英が、男の知盛を演じるのはどこか無理があろう。知盛が女性ならば、「子午線の祀り」はもっと早く〝書かれていた〟のではないか。山本安英の出演が「子午線の祀り」創作のキーポイントであった、という理由が考えられる。そして、遂に『平家物語』には登場しない〈影身という女性〉を登場させることに成功する。この発想に到達するまで〈知盛と、もう一人の知盛〉などの人物造形が考えられたようであるが、影身という重要な女性を創り出すことによって、「子午線の祀り」が完成したのも確かである。しかし「子午線の祀り」が、作者の発想から二十年を要したのは、山本安英出演に関することのみではなく、もっと他に違った劇作上の問題点が、何かあったのではなかろうか。

3　新中納言・平知盛の人間像

「子午線の祀り」は、平知盛を主人公にして、平家一門が一の谷の合戦に敗れ、四国屋島に退き、壇の浦で滅ぶ姿を中心に描いている。知盛は、和平を考えるが、主戦論の阿波の民部重能なる人物に邪魔をされ、また、後白河院の策を弄した和平提案に、平家一門として屈辱的な要求に晒され、知盛は結局戦場に立って、源氏の義経一群に敗れ果てるのである。そして、知盛が敗れるという運命が、関門海峡の潮の流れによっての敗北――潮の流れが両軍の勝敗をきめる決定的要因になる、つまり、天体の運行が運命的に支配する――という人間ドラマが『平家物語』を現代語化した「子午線の祀り」という作品である。物語の核心は、平家と源氏の合戦が中心ではなく、必然的な歴史の流れが人間の運命を支配するということであるが――そしてそこに横たわる天体の運行による潮の流れの描写は、確かに面白いが――木下作品「子午線の祀り」の真の魅力は、木下の人間観（知盛や影身に代表される人物像）が浮かび上がってくるところにあるように思われる。

木下の描く知盛像の特徴は、劇の開始からその姿を表している。兄宗盛が後白河法皇から拝領し知盛が預かっていた名馬を、海から船に載せることが出来ず、陸に追い返したために敵の手に渡りそうになる時……

重能　「やあ新中納言殿、その馬そのまま追っ返されましたでは、磯へ泳ぎ戻ってあの名馬、かたき源氏のものになってしまいます。阿波の民部大夫重能、射ころしましょう。（矢をつがえる）」

知盛　「やめろ民部、矢番〔やつが〕えするな」

重能　「いいや射ころします。おん大将のあのおん乗料〔のりしろ〕、あのまま源氏の手に渡しましたでは―（引きしぼる）」

知盛　「射るな民部！　外せ外せ外せ！」

重能　「なにゆえおとどめになります？　おん大将の誉れを担うたあの馬、平家武門の意地を背負うたあの馬を、な

にゆえかたきの中に放たれます?」(4)

知盛は「外せ外せ外せ」と言って馬の命を助けようとする。自分たちの名馬が敵のものになるのを射殺そうとする者(重能)を止めるのである。知盛と言えば、『平家物語』の中では平家一門の軍事面での中心人物であり、尚武剛勇の武将であった。ところが、木下作品では、知盛は勇敢な武将のイメージよりも、人間性豊かな優しい人間像に作者の眼が強く行っている。知盛のこの優しさ、人間性というものは、ここでは、人間の性格、資質というものにとどまらず、ここでの——劇の主人公としての——特質が表現されていると言える。知盛の優しさはこのシーンだけではない。随所に表現される。知盛は戦争の大将、戦術家であるが、ここでは、殺し合いを好まぬ、戦争よりも和平を選択する武将の姿を見せる。

知盛 「何としてでも平氏と源氏和平の儀を院(後白河院)にはからって頂かねば、徒らな首の取り合いが続くばかりで先は地獄だ」

知盛 「後白河院御提案の平氏と源氏和平の儀を一日も早く実現させること、これが当面最大の急務だ」(5)

と言って、知盛は影身という内侍の女性に、後白河院へ和平の書状を託すのである。しかし、交戦論の阿波の民部重能によってそれは阻まれる。影身は民部に殺されるのだ。そして、結局はこの和平提案にも裏切られて行き、知盛は自らが望むと望まざるにかかわりなく、戦争に巻き込まれて行くという運命を辿る。そして、この運命を知盛は、回避することなく受け入れる姿が描かれる。

また、知盛の子息・知章が、知盛を助けようとして父の眼前で首を斬られてしまう。知盛は子供を助けることなく、自分が助かってしまう。何という親なのかと言ってさめざめと泣いたというのである。武将・知盛ではなく、人間・知盛といったらいいのか、そのような知盛が影身に語りかけるのである。

知盛　「負け戦さ――わが子武蔵の守知章を眼前に見殺しにして逃げたこと――馬を敵の手に放ったことその一つ一つが、すべてはそうなるはずのことであったといま思われるのはどういうことだ？　それが何であるのか、いつどこでかは分からぬが、いずれは必ず起きるはずであったこと、それがまさしく起こってしまった。――今そう思われるというのはどういうことだ？」（6）

知盛は自分に問い、影身に問うのである。この「すべてはそうなるはずのことであったといま思われるのはどういうことだ？」という台詞は、影身に一度ならず繰り返し問われる形になっている。この知盛の姿は、西洋ドラマの行動する主人公ではなく、深く思索・思考する人間像である。ドラマの展開は前に進むのではなく、掘り下げて行く・幅を広げて行くのである。時間進行（進化）ではなく、時間が淀んだようになり、思考がうねり、奥深く押し入って行く、と言ったらいいのか。

民部は知盛の姿を見て呟く。「お人が変った。なにやら気弱になってしまわれた」と。そして、民部は知盛との対話の中でも不安な気持ちを言葉にしている。

知盛　「……首の取り合いよりは互いに知恵の駆引きで事を行なうのだ」

重能　「（笑って）いや、あの武人らしい新中納言さま、このところなにやら政《まつりごと》専一のお公家のようになられましたな」（7）

知盛がかつてのような武将ではなく公家のようになったと言うのである。壇の浦の最後の闘いの最中にも、知盛は能登守教経へ……

知盛「能登殿、今更に人を殺していとう罪なつくり給いそ。それほどまでによきかたきか」(8)

能登殿と呼掛け、罪をつくるな、たいした敵でもあるまいに、と告げているのである。知盛は勇敢な武将であるが、木下はもう一つの側面・人間的な側面へ眼を凝らしている。そして、さらに知盛の人間像へ深く入って行っている。それは、運命と対峙する知盛の人間像である。

知盛「平家一門の運命が、そのときおれにはもう見えていたはずだったこと、今にして分かった気がする。が、それが見えればこそおれは手をつかねていることができぬのだ。平家一門を、おれは見事その運命に耐えぬかせて見せねばならぬ」(9)

作者木下の知盛への基本的イメージは、随所にこのような形で台詞化されている。木下は語る。

「知盛は、人間の運命というものをどうにもならないものとしてはっきり認めている。ただし、知盛は、これは注意を払っておいていいことだが、同様に運命の必然性を認めている兄重盛とは、ある一点で決定的に違っている。重盛は、平家の確実な滅亡を一種不思議な能力によって見通しているという形において運命の必然性を認めている。だから重盛は達観し、あるいは諦観している。(中略)知盛は、知盛もまた運命のいかんともすべからざることをどういうわけか十分に知りながら、にもかかわらず、あるいはもっと正確にいうならば、だからこそ生に執着し、平家滅亡のぎりぎりまで縦横無尽、に、平べったく静止的な重盛の像とはまさに対照的に生き生きと、言葉の正しい意味においてドラマティックに躍動しているのである」(10)

木下は、「知盛は、知盛もまた運命のいかんともすべからざることをどういうわけか十分に知りながら、にもかかわらず、あるいはもっと正確にいうならば、だからこそ、生に執着し」と書いている。〈にもかかわらず・だからこそ〉と表現される木下ドラマ論の一翼をなす「人間は人間を越えるものに押し潰されて行く。にもかかわらず、あるいはもっと正確にいうならば、だからこそ、人間は生きる」のだという劇的な人間像――あの、ギリシャ悲劇のオイディプス王のような人間像――に知盛はすっぽり当てはまることになる。だが、オイディプスは犯人探しのためにまっしぐらに目的に向かって行動する。所謂、劇的行動者なのである。ところが、知盛は平家を守るために行動しているが、多くの部分では、自己を問い、人間世界を問い、運命を問うて思索・思考する。知盛の行動は、運命・歴史に対立して闘うのであるが、劇的行動者のように運命・歴史に挑むのではなく、運命・歴史を自分に受けとめ、受けとめた末に対立・葛藤をするのである。ギリシャ悲劇の主人公の行動は、能動的であるが、知盛の行動は、受動的であるという違いがある。だが、知盛の人間像について、ギリシャ悲劇と甚だ似ていると――木下は言うが――果たして、簡単に言えるのであろうか。

4　木下ドラマ概念と受動の主人公・知盛

木下のドラマ概念は――常に、明隙に繰り返されている。

「人間を超えて、人間の力ではどうにもならない力、それは人間がつくりだした歴史というものでもあろうし、それから非情な宇宙の運行でもあるんだけれども、そういうもの、それと人間というものとの間にみなぎっている緊張感を舞台の上につくりだしたい。（中略）その緊張関係のなかにこそドラマの本質があるというのがぼくの考えです」(11)

古来いわれて来た、人間と人間の、力と力の対立、葛藤、それはドラマの本質というより、一部分に過ぎないだろう、と木下は考える。ドラマは、人間と、人間の力ではどうにもならない力、つまり、人間を越える力、との対峙の中にみなぎる緊張感、そこにドラマの本質があると捉えられている。〈人間を越える力〉――それは、運命の・歴史の必然性であり、宇宙の運行であり、時代時代によって主人公の前に立ちはだかる人間を越える対象物――との対峙であるから、小さな人間は、人間を越える力には、到底勝つことは出来ない。敗れるものである。敗れるものであるが、〈にもかかわらず、いや、だからこそ〉そのような対象物に対して、対立してそれと闘って生ききるのである。木下自身の言葉には、敗れるという言語はない。「運命のいかんともすべからざること」や「歴史の必然性」や「社会の法則性」故に、行動の結果として、人間は自己を否定することになる。〈自己否定〉という言葉になっている。しかし、〈人間を越える力〉との対峙であるから、当然、行動の結果は敗れる者になって行く。勿論、単なる敗者という意味ではない。敗れながら生を全うする、つまり、目的に達するというわけである。

「人間の力で動かすことのできぬときまった運命に対立してそれと闘うのである。ただ人間の力で破れぬときまったものを、人間が人間である限り破り得ぬのは当然であり、そこでギリシャ悲劇の主人公たちは、人間である自己を否定することによって、初めて目的を達する」(12)

人間は自己否定することによって、次の高みに到達するというのが、木下ドラマ論のキーポイントである。そこには、主人公が成長・発展するという弁証法的展開がある。その成長発展は、自己を否定する行為によってはじめて達成されるものなのである。しかも、この自己否定は、少し反省するといった程度ではなく、〈根底的〉に自分を否定するという濃度の強いものである。いままでの自分を否定するからこそ、新しい発想が生まれるのである。

木下ドラマの主人公は、あまりにも、ペシミスティックであるとよく言われる。「子午線の祀り」をめぐっての座談会で真継伸彦の発言に……

「『子午線の祀り』を読んでみますと、主体の確立という建設的、肯定的な方向よりも、時代というものが個人を圧殺してしまうそういうペシミズムのほうが濃厚ではないかという印象を受けたのです」(13)

「時代というものが個人を圧殺してしまうそういうペシミズムのほうが濃厚」であると真継は述べている。これに対して木下は違うと言う。

「ペシミズムといわれましたけれども、ぼく自身はそう思っていないのです」(14)

ペシミズムではないと木下は反論している。「時代というものが個人を圧殺してしまうそういうペシミズムのほうが濃厚」ということについても木下は、別の機会ではあるが、同じような指摘に対して決して認めていない。

「進歩ってものを信ずることによって行動して行くことによってね、個人ってのは抹殺されるだろうっていう考え方、しかもそれがペシミズムではないということなんだよ」「抹殺されるということ自体がね、やっぱり歴史をつくり出して行くものになるというね、考え方がぼくにあるわけよ」(15)

人は、木下をペシミズムと見なし、木下は、ペシミズムではないと考える、この違いは何処から来るのだろうか。

木下ドラマ論に疑問を呈する人たちは、人間というものは己が状況の前で選択して歴史をつくって行く、つまり、選択の自由というものがあると考える人たちである。木下の、人間の力ではどうすることも出来ない大きな流れ――歴史的必然――という考え方は、あまりにも受身的すぎ、悲観的すぎるというのである。例えば、武田清子は、木下の作品や論理の組み立てについて深い理解を示している人であるが、「子午線の祀り」への言及の中に、敢えてそれへの疑問を呈している。木下が触れる機会の多い「マクベス」を用いて

「やがて転落していくことになるマクベスは、外なる運命に従う受け身の受難者では決してなく、まさに歴史を自らの決断でつくり出して破滅する主体ではないか、だからこそ悲劇なのではないかとも考えさせられる」(16)

武田清子は、悲劇の主人公は「運命に従う受け身の受難者では決してなく、歴史を自らの決断でつくり出して」行く行動――「破滅する主体」ではあるが――自らの決断、そこに大いなるポイントとウエイトがあるのではないか。木下のは「運命に従う受け身の受難者」の方にウエイトがかかっているのではないか、と疑問を残している。

また、歴史学者・丸山眞男も木下との対談や「子午線の祀り」についての文章において、武田と同意見の言葉がある。やはり、木下の歴史の必然という考え方についてであるが……

「人間が歴史をつくって行く契機、そういう歴史の側面というものをどうして(木下が)認めないのか、それがぼくにはわからない」「進歩を確信しながら行動して行くという、それが歴史をつくって行くという歴史における主体的な契機というものが、(木下の場合)歴史像のなかに一貫して出てないのはどういうわけなのかという疑問」(17)

「歴史的必然性とそれに対して必死にもがく人間という対立ではなくて、無数の因果連鎖のなかでの人間の自由な選択という対立項で考えて、その自由な選択に対して、あれこれの人間はその自らの行動への責任を負うというふうに捉える方がいいので、はないか」(18)

丸山もまた木下の歴史的必然性、つまり、受身的な人間・運命に支配される人間ではなく、人間が主体的に・能動的に選んで、歴史をつくって行く道を考えている。そこには、自分の決断があり、自分で現実から選びとるという人間の行動があり、行動への責任を負うことがあるという、人間が状況をつくって行く姿を見ている。

武田は一歩踏み込んで、木下理解を示している。

「平家没落の運命の支配という決定論的歴史観と、その非情な現実を見定めて、それにおし流されながら、それに立ち向かおうとする知盛という個人（その自由）とが、木下さんの歴史観の中で鍔《つば》ぜりあいをしているような思いがするのである」(19)

歴史の必然性と自分からの選択という二つの歴史観の中で鍔《つば》ぜりあいをしているという考え方も成り立つかもしれないが、そして、木下の描こうとする人間像は——武田が言う「運命に従う受け身の受難者」と見えるであろうが——確かに木下の人物像は受身・受動の形を持つ人間像ではあるが、しかし、「人間が歴史をつくって行く契機を認めない」（丸山）単なる受身のみの人間像ではないと思われる。受身であって単純に受身でないというありようが横たわっているのではないか。そこに、ペシミズムとペシミズムではない、という違いがあるのではないか。

丸山も木下の人間像を一方的に否定しているわけではない。

「『子午線の祀り』の知盛という人物は、普通の言葉で言うと、〈悟り〉の発展過程を象徴しています。悟りというのは自分が自分を見ることで、その深化過程が「子午線の祀り」の知盛には見られる」(20)

丸山は「悟りの深化過程」つまり「知盛の自己認識」「自分が自分を見ること」が、「子午線の祀り」に描かれていると述べ、この描き方を肯定的に据えながら、しかし、木下の歴史的必然性に運命づけられる人間観とは異なった、人間の自由な選択という意見を丸山は出しているのである。

丸山が解釈した知盛の悟りの発展過程・深化過程という捉え方は、確かに知盛の生き姿としてよく見つめられているが、しかしながら、知盛の受身・受動の姿の中に浮き上がってくるもの——作者木下が浮び上がらせようとしているものは、知盛の自己認識の発展過程を含みながら、運命と向かい合って闘うということ、決して途中で回避する姿勢を持たないということ、つまりは、人間を越えるものとの対立、葛藤から逃げるのではなく、闘い続けるという、強さを秘めた人間を描こうとしていると思われるのである。通常、受身、受動と言えば、消極的であり、後ろに引き下がるといった逃げ腰の姿勢が想像される。ましてや、歴史の宿命・運命のいかんともすべからざること、という思いを持つ人間像であるため、悲観主義であると見える。だが、木下における人間を越えるものと向き合うという姿勢は、相手を単に受け入れるというのでもなく、ましてや避けるというものではなく、相手が人間を越えるものでも逃げることなく向き合い、受け容れ、背負い続けるという姿勢なのである。共に生きるというか共に在るというか、勿論、そのプロセスには、闘いもあるであろうし、融合することもあるだろう。基底においては、相手を受け容れ、背負い続けるということ、〈受容〉するという言葉で呼びたい生き方なのである——受容とは、従来の〝西欧文化の受容〟といった、外国のものを輸入してきた歴史といった、単なる受け入れ言語ではなく、受動・受苦・受難などを通過して、受動的姿勢でありながら受動の中に能動的なるものを含んだような意味内容を持つ言語イメージなのである。

ところが、木下ドラマ論において強調されるもう一つの言語がある。〈カタルシス〉という言葉である。木下作品の主人公は、人間を越えるものとの闘いであるが、人間を越えるもの、即ち、歴史的必然や社会の法則性に支配されている故、主体性がないと解釈され、批判され、ペシミスティックすぎると言われてきた。しかし、そのことを木下は、自分の主人公像はそうではないと考え、言おうとしてきた。ドラマの本質は、緊張関係なのであるが、それは、弁証法的展開をなし、最後には主人公そして主人公を通して劇の世界を見ている観客に、〈カタルシス〉の作用があることがドラマであり、カタルシスとは、単なる浄化作用ではなく、〈価値の転換〉だという木下の考えがある。ここには、丸山が疑問を呈した〝進歩を確信し、歴史をつくって行く歴史観がない〟どころではなく〝主人公が価値の転換をなして、歴史を進めて行くのだ〟という考えである。木下もまたドラマ論の核に据えているのは、根底においては丸山と同じだと言える。

「オイディプスの古い生命は、運命と決定的に対立したからこそ死に、そしてそこに新しく生まれた生命は、だからこそ前と全く異質なそれである筈である。つまりカタルシスというのは、主人公の質的転換であり、環境に対する主人公の認識の、そして主人公と当然視点を同じく持っている筈の観客たちの認識の、質的転換を意味している」(21)

カタルシスとは、言葉どおりの〈排泄作用〉であるとか、欲求不満の〈解消〉であるといった解釈ではなく、ドラマの主人公が自分あるいは自己の状況を発見して、いままでの自分を根底的に否定する、つまり、自己否定によって主人公は質的に変わる、質的転換をなすというのである。主人公の行動がまさに弁証法的展開をなし、価値の転換を伴う演劇、それが木下を捉えてきたドラマ論なのである。

(木下順二が、カタルシスを価値の転換と考え出した裏側には、マルクス主義の問題や近代リアリズム演劇の問題の影響があると思われるが、このことは、このこととして追求される必要があるだろう)

木下のドラマ論においては、最終的には人物が成長、発展するという、木下の言葉で言えば、ドラマの魅力は、人間が変わること・主人公の質的転換があること――自己否定という行為を伴ってではあるが――それがドラマなのである。木下は西洋のドラマ論をこのように解釈し、そして間違いなく西洋ドラマの概念の中でものを考えることを続けてきた人である。

このような考え方にもかかわらず、木下の主人公は、西洋ドラマのような主人公ではなく、ペシミズムだといって批判される。それを木下は違うのだと——ペシミズムではないのだと——言ってきた。ところが、今度は「子午線の祀り」では、ペシミズムと解される受動の人物を、堂々と主人公に描いたのである。しかも、いままでの主人公との違いを、木下自らがはっきりと述べているのだ。

「『平家物語』の知盛の場合は、自己否定というような問題は出てこない。どのように転変多いいきさつの末にあったによせ、結局彼は単純に死ぬのである。そして浪の下にもある都、極楽浄土へ行く。その点、知盛の行為において弁証法は完結されているとはいえないだろう」(22)

知盛には、自己否定というような問題は出てこない。そして、知盛の行為においてドラマの弁証法は完結されていない、と木下は言っている。知盛は、当然、価値の転換がなされていない人物ということになる。このような人物をいままで木下はドラマ展開として、そして、ドラマ論を踏まえた劇構造において、堂々と主張することはなかった。自己否定があって、価値の転換があって、ドラマの弁証法は完結するのである。ところが、「子午線の祀り」では、自己否定のない知盛を書き上げたのである。

一九六六年の『平家物語』の知盛に言及した「日本ドラマ論序説」には、ドラマを語りながら、そして、「いわば弁証法的側面について」というサブタイトルが付されているのだが、この時既に、カタルシスという言葉はほとんど見当たらないのである。にもかかわらず、「子午線の祀り」という作品が着想から二十年も年月が必要であったのは、自己否定のない人物を書くことが木下の中で許されなかったためであろう。自己否定のない人物を書くことは、ドラマからの逸脱になるであろうし、主人公に価値の転換がないということは、ドラマの目的を果たしていないことになる。ところが、木下は自己否定という問題が出て来ない人物を書いたのである。ということはつまりは、このような人物像を書いたということは、木下の中に、何らかの変化が生じたということになる。そして、そこに見えて来るものは、木下が西洋ドラマから得たドラマ論理の呪縛から解放されたと考えられるものではないだろうか。価値の転換を最終には獲得するという考え方は、能動の主人公が持つ生き姿と同じものである。だが、木下は「子午線の祀り」で、ドラマ論理の呪縛、そしてそれは、近代の呪縛と言えると思うのだが、木下は近代の呪縛から解放されて、受動の主人公を描いたのである。そして、そのために「子午線の祀り」が書かれるのに、二十年の歳月があったということなのであろう。木下は、「子午線の祀り」を発表したその年に、この頃の心境のようなものを「山脈」再演のパンフレットに述べている。

「最近作としての多幕物は、今年一月号の「文藝」に発表した「子午線の祀り」だが、それを書き終えて数カ月たったいま、「山脈《やまなみ》」の上演を前にして私は、あの頃からここまで、どうやらやっと一つの区切れ目まで歩いてくることができたという思いを押さえることができない。現在私は次の作品にとりかかろうとしているところだが、やっとここから、これまでよりは少し自由な姿勢で、作家としての第二期へはいって行けそうだという気がして」(23)

「子午線の祀り」を完成させた後、木下は「どうやらやっと一つの区切れ目まで歩いてくることができた」「少し自由な姿勢で、作家としての第二期へはいって行けそうだ」と自らも、呪縛から抜け出したような発言をしているのである。(しかし、この後、実際には、戯曲としては「巨匠」という作品しか書かれていない。しかもこの作品(「巨匠」)創作に該当する時期に、自分では、〈最後の作品〉などという発言もある――「その頃はおれが最後の作品を書きにかかろうとしている時期に当たりそうだ」(24)

知盛像が書けた故「子午線の祭り」が完成されたのではなく、〈影身〉という女性の人物形象を発見して、「子午線の祀り」が書き上げられたという要因も大きな部分を占めている。とすれば、影身なる人物と知盛がセットになってはじめて、ドラマ論からの脱出があったと言えるような気がする。では、影身とはどんな人物であるのだろうか。

5『平家物語』に登場しない影身という女性

〈影身〉という女性は、原作の『平家物語』には登場しない人物である。「子午線の祀り」の作者木下順二が創り出した人物像なのである。では、影身とは一体どのような登場人物なのであろうか。どんな役割を持つ人間なのであろうか。

影身は、最初、知盛の声にダブルかのように登場する。知盛が馬を放った、あの台詞の直ぐあとである。

知盛　「――なぜとめるのだおれは。以前のおれなら一議に及ばず射ころさせておったであろうに――そう思っておるうちにもうすらすらと声がおれの口から出てしまっていた」

声　「(のちに影身の内侍を演じる女優の) 誰のものともならばなれ、わが命を助けたらん馬を」

知盛　「そういっているのはおれ自身なのか――と思いながら、おれは自分の声を聞いていた」(25)

知盛の台詞に重なるように影身の声が聞こえてくる。影身が発しているのは、知盛の言葉なのである。知盛は「おれは自分の声を聞いていた」と言う。影身は最初、知盛の内面の声のように登場するように見える。次の瞬間、知盛によって影身の輪郭が示される。

知盛　「厳島の内侍と呼ばれる影身は巫女だ。平家の氏神、安芸の厳島神社大明神に仕えまつる舞姫ではないか、お前は」(26)

影身は巫女であり、厳島神社の舞姫である、と。そしてさらに、知盛は続けて影身のことを語る。

知盛　「生まれは近江の百姓の子といつか聞いたな。(中略) その舞い姿が、やがて十何年もの昔にいた祇王という白拍子にあまりに似ているという者があった」(影身は見知らぬ祇王のことを何故かスラスラと語れた)

知盛　「影身よ、弟本三位の中将のお前は女。だがあの好き者の本三位の愛にくらべて、心の奥深いところでおれはお前をいとおしんでいる」(27)

影身は知盛の弟重衡の思い者であったが、今は知盛の方が愛していること。通常の人間とは違った能力を持っていること。しかしながら、影身は百姓の子、つまり民衆の代表でもあることも示されて行く。

知盛　「おれの思いを訴える相手は誰一人いない、影身よ、お前のほかには。お前になら何でもいえる。何でも聞ける。すがりたいのだ。おれはお前に」(28)

知盛は影身に問いを発し、答を求めようとする。それはあたかも、影身が、もう一人の知盛であり、分身であるかのようでもある。

知盛は和平交渉の密使として影身を都へ行かすはずであったが、これを嗅ぎつけた交戦論の民部に暗殺されてしまう。

だが、その殺されたはずの影身が、再び知盛の前に登場する。このような登場は、影身が知盛の影または、意識の中の人とも考えられる。また、生死の世界を・時空を越えての存在とも見える。その中でも、最も色濃く見せるものは、あの、知盛の問い「すべてがそうなるはずのことであったといま思われるのはどういうことだ?」という問いへの応答である。

影身　「すべてがそうなるはずのことであったなぞと、思うひまなぞないのがわたくしたちでございます。この乱

れた世に、どのみちわたくしたち人民百姓ら、滅ぼされ悩まされ踏みしだかれて行くものときまっております」(29)

影身が百姓の子であり、虐げられ、苦しめられた人民百姓の世界を背負う人間存在であることが示される。「すべてがそうなるはずのことであったなぞと、思うひまなぞないのがわたくしたち」人民百姓だと、武将の世界にいる知盛には痛烈に突き刺さってくる答が返ってくる。

影身が知盛の前に最後に現れるのは——そしてそれは三度目なのであるが、知盛のあの、問いの核心に触れる知盛との対話がある。

知盛　「あの星から眺めれば、いつか必ずそうなるはずの運命の中へ、ひと足ひと足進み入って行くわれら人間の姿が、豆粒ほどの人形の動きのようにも見て取れるかも知れぬ。——星々にもし情《こころ》あらば、それを哀れと思うか、健気と思うか——」

影身　「星々に情《こころ》なぞございますまい」

知盛　「なに?」

影身　「情《こころ》ありませんからこそあの星々は動きを乱すこともなく、あのようにいつまでも老いず静かにめぐっているのでございましょう」(30)

知盛の「星々にもし情《こころ》あらば」という問い対して、影身は「星々に情《こころ》なぞございますまい」と言う。そしてさらに、影身は知盛に言うのだ。

影身　「非情なものに、新中納言さま、どうぞ、しかと眼をお据え下さいませ。非情にめぐって行く天ゆえにこそわたくしどもたまゆらの人間たち、きらめく星を見つめて思いを深めることも、みずから慰め、力づけ、生きる命の重さを知ることもできるのではございませんか」

知盛　「(ほとんど慟哭する)」

影身　「新中納言さま、人の世の大きな動きもまた、非情なものでございます。非情の相を、新中納言さま、どうぞ、どうぞ、しかと、しかと眼をこらして見定め下さいませ」(31)

影身は「わたくしどもたまゆらの人間たち」——ほんの少しの間の人間たち、とはっきり言って、そして「人の世の大きな動きもまた、非情なもの」と言い、知盛に「非情の相を、新中納言さま、どうぞ、どうぞ、しかと、しかと眼をこらして見定め下さいませ」と彼の心を打つのである。知盛は我を忘れて声を発する……

知盛　「影身よ——そうか——非情の相を——しかと眼をこらして——見定めよとか。——われらたまゆらの人間が、永遠なるものと思いを交わしてまぐあいを遂げる、それが唯一の時なのだな、影身よ」(32)

たまゆらの人間と永遠なるものとのまぐあい、そこにこそ人間の生きる時があり、そこにこそ人間が歴史と向かい合って、歴史をつくる瞬間が開けてくることを、知盛は感じるのである。そして、木下の希望は、知識ある武将の階層にいる知盛が、虐げられる民衆を視野に入れて、非情の相をしかと眼をこらして見定めてくれることである。

影身は、知盛に重なるように登場したり、「そうか、そこにおったのか影身」と知盛が気づくように、——彼の傍らにいつの間にか佇んでいたりする。影身は知盛を包むように優しく、しかし、時には鋭い言葉で、知盛に相対し、そして彼を迎え入れる。影身は知盛の言葉を聴く、聞いてやる。知盛を静かに受け入れている——影身には底辺から受動の姿がある。影身の受動の姿に着目している人もいる。丸山眞男である。

「巫女さんというのは受動的なんです」
「その役割はと言うと、シャーマニズムですから、経験的な人間と超経験的な世界との媒介者ですね」
「そういう受身であるということと、超経験的な世界との媒介者と、二つの面を持っている」(33)

影身の設定は本来的に受動の姿勢を持っているというわけである。

(「子午線の祀り」には、木下の好きな「マクベス」の影を見る人もいる。知盛が壇の浦の合戦で、潮の流れが変わってしまう瞬間を見て、知感は「やっ——ややっ、潮が変った！」と叫ぶ。知盛が眼にするこの情景はマクベスが叫ぶあの瞬間「恐れるな、バーナムの森がダンシネインへ押し寄せるまでは——その森が今ダンシネインへ向かってくる」と、バーナムの森が動くと見た驚きの瞬間とダブってくるところに共通のイメージを感じるというのであると、丸山は言う)

そしてまた、影身は、「マクベス」の魔女——マクベスの運命の予言者——が、マクベスの外にいるのではなくマクベスの中に眠っているのであり、そして、知盛の中にも知盛が二様にいるという木下のイメージへと繋がって行って、知盛の中に眠っている魔女的存在が、影身に転化されて行ったという連想する人もいる。これらの想像はある意味で的を得ていると思われるが、あるいはこれが直接のイメージではないとしても、影身という女性を考えた時、作者のイメージの中に濃厚に、このような姿で存在して行った人間像であるに違いはなかろう。ただ、影身のイメージは、それ以上に昇華されて行ったと言える。

つまり、影身という女性は、現実世界の幾つかの側面を持ちながら、知盛を永遠なるものとのまぐあいに導く透明なる人物に見えてくる。透明とは、現世的な人間を突き抜けて存在する——宇宙的と言うのか——象徴的な存在であると思われる。

そして、このことは、木下順二という作家の基底にある思想を、明らかに物語っているものとも考えられる。

木下自身は受動の主人公という言葉は使用していない。だが、木下が好むと好まざるにかかわりなく、造形された主人公は、受動の主人公であると思われる。しかし、この受動の主人公は、木下の何処からやってきているものなのであろうか。

6　ペシミズムでない受動的主人公

木下ドラマ論における〈人間が超人間的なものに対峙する〉という考え方が木下の中に生まれたのは、種々の理由・根拠があるであろうが、最大の基底にあるものは、キリスト教との出会いにあるのではなかろうか。神・イエス・聖書といったものと向かい合ったことによるのではないだろうか。木下本人は近年に到るまで、自分が洗礼を受けたこと、信仰を持ったことを語らなかった。あれほど原罪意識というものに言及しているにもかかわらず、である。

「私は私の思索の原基形態となるようなものを、ひとことでいえば原罪意識とでもいうべきものを、ただし、信仰のかかわる以外のところにおいてといわなければならないが、与えられたと思っている」(34)

木下の原罪意識は、藤島宇内の「日本の三つの原罪」から触発されてのことであるが、原罪というキリスト教に表現される用語であるため、木下はわざわざ「ただし、信仰のかかわる以外のところにおいてといわなければならないが」とことわっている。わざわざことわるということは、逆に宗教を意識していたと言えるのではないか。

近年の小説『本郷』の中で、はじめてだと思うが……

「私は熊本の中学生のころ洗礼を受け、大学入学当時は本当にクリスト教徒になろうと真剣に考えていた」(35)

十八歳（一九三二年）の時に受洗したことを、六十九歳（一九八三年）の時に初めて明かしている。武田清子の著作『背教者の系譜』（岩波新書）の中に、木下順二のことが書かれている。木下が「自称背教者」（棄教者）として語られていて興味深い。背教者と自己を定めた故か、近年まで洗礼を受けたことを告白しなかった。それよりも宗教には関心も関わりもない態度表明であったと言えよう。だが、木下のドラマ論の基底に見えていたものは、キリスト教的（宗教的）な思考が少なからずあったと思う。宗教的とは、人間のものの考え方の中に、受動的なものを内包してくる。そこには、人間を越えるものとの向かい合いがあるからである。木下の中にそのようなものがありながら、時代の思想潮流のためか、木下の人間像は、受動的な姿を内に持ちながら能動的な、西洋ドラマの世界に生きる人間像に傾いていった。

「子午線の祀り」において、宗教的存在というのか、限り無くそのようなものに近づいているイメージが、影身を生んだと考えられる。影身は限り無くそのようなものに近い造形となっている。知盛は、影身と相い交わることによって、いかんともすべからざる運命と向かい合い、運命を受容し、生ききる。影身は、知盛をそのようにいざない、支え、知盛を受容する愛を持つ透明な人物の位置を占めている。知盛の受動性、影身の受動性、二つがあり、二つが一つになって木下の受動的主人公が形成されたのである。そして、その形成の中身、受動的主人公の姿が、あの有名な知盛の最後の台詞にも読み取れることになる。

知盛　「見るべき程の事は見つ、今は自害せん」(36)

見るべきものはすべて見たと言って、知盛は鎧二領着て、壇の浦の海底深く入っていったのである。ここでの、〈見る〉という行為は、そこに示される世界を客体化して眺める。眺めるといっても、他人事のように、単なる鑑賞ではない。自分に当然火の粉がかかってくる緊張関係を持っている状態での眺める・見るという行為である。目の前に示される世界に突き進むのではなく、その状況に埋没するのでもなく、世界を受け容れて、見つめることとである。勿論、知盛は武将であったから、戦闘する人間であり、そのための行動をなさなければならない人間であったろう。しかし、知盛はやみくもに戦闘のみを仕掛けて行く人間ではなく、己が状況を見て、自分の運命というものを受け入れて、そして、生ききったのである。

木下は、この知盛の最後の言集にも、石母田が捉えたものに注目している。

「〝見るべき程の事は見つ、今は自害せん〟という知盛の言葉は、平家物語のなかで、おそらく千鈞の重みをもつ言葉であろう。彼はここで何を見たというのであろうか。いうまでもなく、それは内乱の歴史の変動と、そこにくりひろげられた人間の一切の浮沈、喜劇と悲劇であり、それを通して存在する運命の支配であろう。あるいは、その運命をあえて回避しようとしなかった自分自身の姿を見たという意味であったかもしれない。知盛がここで見たというその内容が、ほかならぬ平家物語が語った全体である」(37)

人間の一切の浮沈を見た、受け容れた知盛、そして、運命をあえて回避しようとしなかった知盛、そしてまた、そのように生きた自分自身を見た、という石母田の見方を木下は十分に受取って、「子午線の祀り」の知盛、そして、この線上から展開したイメージの造形による影身の形象を産み出し、受動的主人公を登場させた。この受動的主人公の、受動的身振り・態度に内包された――ペシミズムではない――受動の中に内包された能動的なるもの、木下の憶い・イメージが次のように語られている。

「一つの時代が壮大な終焉を迎えるという時にその閉じられるという意識をはっきりと持つことは、そちら側に即していえば、諸行無常のペシミズムであるのだけれども、その閉じられる状態とさらにはそのことの意味までをどこまでもなまなまと意識し認識し通すことにおいて、閉じられるものの向こうに開けてくる世界の姿が見えてくるというそういう――何と呼んだらいいのか――〝思想〟それが『平家物語』を〝文学〟たらしめていると同時にきわめて劇的なものたらしめているところの、強烈かつ不思議な魅力であると」(38)

木下は「その閉じられる状態とさらにはそのことの意味までをどこまでもなまなまと意識し認識し通すこと」を受動的身振りの基底に据えている。知盛はまさに平家滅亡の運命をなまなまと意識し認識し通して行くのである。そして、そのことによって、ということは、運命を受け入れて生ききった向こうに、つまり、「閉じられるものの向こうに開けてくる世界の姿が見えてくる」――それは、主人公にも視点を同じくする観客にも、いずれは見えてくる、と希望しあるいは確信できること――「何と呼んだらいいのか――〝思想〟と呼びたいと」、木下が言うものが横たわっていることになる。そして、これこそが、受動的そして受容する人間が、成し遂げて行くものであり、受動的主人公なる人間像と言えるものである。

(西洋ドラマの呪縛から解放されて、受動の主人公を堂々と造形できた木下の、その基底にあった宗教的なもの――キリスト教、これもまた、西洋のもの――であったという矛盾に近い問題は残ることになる。ただ、木下が棄教したということが、その解答のポイントの一端になると思われるが)

7 おわりに

人間社会がよりよくなっていくことは、そして、人間が幸せに生きたいと思う以上、必要なことであり、よりよくなることは悪いことではない。人間は、長い間、成長・発展することを望み、すべてのものが豊かになる方策を考えてきた。そして、飢餓や掠奪などの良からぬ状況を生み出さないように努力してきた。人々が常によくなりたいという上昇志向を持って、豊かな社会づくりに邁進してきた。日本は、かつてとは比べものにならない豊かさを獲得した。それは、人々が成長発展を願い、よりよくなりたいという上昇志向を強く持ったためであろう。人間社会を描く演劇は、社会状況に呼応してドラマの登場人物が上昇志向を持つ、能動的な主人公として描いてきた。世界を切り開いて行く劇的な行動者が演劇の主人公として相応しかった。だが、今日、成長・発展の思考方法に翳りが見えはじめた。人間と人間の成長・発展思考は、人間が人間を傷つけることを生み出してきた。また、例えば、企業の拡大経営は破綻の道につながって行った。あれほど信用のあった銀行ですら、不良債権で惨めな姿をあらわにした。すべては、成長・発展を願った・願いすぎた上昇志向の結果である。

成長・発展はないが、ものごとが深まり、質がよくなって行くことはないのか。拡大・拡張はそれほどないが、バラエティに富んだ豊かさが獲得されることはないのか。すべてを変革して行くのではなく、共存共生して行く道はないのか。能動的主人公ではなく、受動的主人公がドラマの主人公として成立しないのか。受動的主人公は、能動的主人公とは違った時代のリアリティを見せると思われるが、どんなリアリティか。受動的主人公とは、ドラマの中で、どのように存在するのか、能動的主人公のように躍動感をもった主人公となれるのか。いや、能動的主人公のような躍動感は無いであろう。しかし、ここには恐らく違った、新しい主人公の躍動感が生まれるであろう。

＊木下順二（一九一四〜二〇〇七年）　東京本郷生まれ。中学・高校（旧制五高）は熊本で。東京大学英文科。エリザベス朝演劇専攻。熊本の青年群像を描いた「風浪」で認められる。他に民話劇を書く。「夕鶴」は毎日演劇賞。戯曲「暗い火花」「オットーと呼ばれる日本人」その他作品多数。「ドラマの世界」など評論も多い。『木下順二集』『木下順二評論集』。

▼木下順二・作「子午線の祀り」が掲載された書籍。

＊「文藝」　一九七八年一月号　河出書房新社

＊『子午線の祀り』単行本　一九七九年二月　河出書房新社

＊『子午線の祀り』新装単行本　一九八六年七月　河出書房新社

＊『子午線の祀り』河出文庫　一九九〇年三月　河出書房新社
＊『木下順二集8』　一九八九年三月　岩波書店
＊『昭和文学全集17』　一九八九年七月　小学館
＊『木下順二戯曲選IV』岩波文庫　一九九九年一月　岩波書店

【注】木下順二その2「子午線の祀り」

(1)『素顔』（木下順二「どうやって書いて来たか」）一九七八年
(2)「映画芸術」（木下順二「現代のドラマトゥルギー〈葛藤について〉の序説」）一九五八年
(3)石母田正『平家物語』岩波新書、一九五七年十一月
(4)～(7)・(9)「子午線の祀り」のせりふ、第一幕。
(8)「子午線の祀り」のせりふ、第四幕。
(10)・(12)・(22)「展望」（木下順二「日本ドラマ論序説」）一九六六年
(11)木下順二『ドラマに見る運命』（「子午線の祀り」について）影書房、一九八四年三月
(13)・(14)「使者」「子午線の祀り」をめぐって。小学館、一九七九年春
(15)・(17)木下順二『木下順二作品集V』解説対談（丸山眞男・木下順二）未来社、一九六一年十月
(16)・(19)『木下順二集8』月報　武田清子「眼を上に向けさせるドラマ」岩波書店、一九八九年三月
(18)・(20)丸山眞男『丸山眞男集第15巻』（「子午線の祭り」を語る）岩波書店、一九九六年十一月
(21)『岩波講座・現代10』（木下順二「現代演劇の可能性」）岩波書店、一九六四年二月
(23)劇団民藝『山脈』公演パンフレット　一九七八年
(24)木下順二『あの過ぎ去った日々』（「歩みだし」）講談社、一九九二年十二月
(25)～(29)木下順二「子午線の祀り」（雑誌「文藝」）第一幕のせりふ。河出書房新社、一九七八年一月

(30)〜(32)　木下順二「子午線の祀り」(雑誌「文藝」)第三幕のせりふ。河出書房新社、一九七八年一月
(33)　丸山眞男『丸山眞男集第15巻』(「子午線の祭り」を語る)岩波書店、一九九六年十一月
(34)・(35)　木下順二『本郷』講談社、一九八三年
(36)　木下順二「子午線の祀り」(雑誌「文藝」)第四幕のせりふ。河出書房新社、一九七八年一月
(37)　石母田正『平家物語』岩波新書、一九九一年九月(37刷)、初版一九五七年十一月
(38)　木下順二『図説日本の古典平家物語』月報「『平家物語』はなぜ劇的か」一九七九年

▼有吉佐和子「華岡青洲の妻」(一九六七年)

華岡青洲は、三年間留学して、外科医学を学んで、帰って来て、〈麻酔薬〉を研究する。母の於継(おつぎ)と嫁の加恵(かえ)は相争って人体実験台になろうとする。そして、麻酔薬を完成させる。ところが、母と妻は、つまり、姑と嫁の争いはなくならない。青洲の名声は高まるが、青洲の妹二人は、乳ガンと婚約取り消しという生活を迎えるし、妻の加恵は、こどもを亡くし、自らは盲となる。が、青洲は、出世して、紀伊侯の侍医になる。

武田友寿は「日本キリスト者作家たち」のなかで、

「『恍惚の人』は有吉氏をカトリック作家たらしめる記念碑的作品である。」「『恍惚の人』は有吉氏のカトリック信仰をぬきにしては、その意味をとらえることはできない作品であり、有吉氏もまた自身のカトリック者であることを、この作品において示した。」(1)

この「華岡青洲の妻」では、姑と嫁の確執が、強く描かれている(二人の確執は、物語としては、とても面

白い材料である)。女の闘いこそ、この劇の主題であり、主人公でもある。右記の武田の分析にあったように、有吉は何故、カトリックに関わる人間の生き方を『恍惚の人』のように、この作品で追求しなかったのであろうか。青洲は病気を治すことに心をくだく素晴らしい医者である。病気が無いときは苛立ち、荒立つ。病気を無くしたいと思う人間が、病気（患者）が出ることを祈るという、なんという矛盾であろうか。病気を治したいという医者、その上昇志向には、宗教的な生き方は、必要でなかったということであろう。

＊有吉佐和子（一九三一〜一九八四年）　小説家、劇作家。和歌山市生まれ。東京女子大学文学部休学から短大英語科。古典芸能に造詣が深い。女性の心理葛藤を描く。戯曲に「ふるあめりかに袖はぬらさじ」「光明皇后」。小説に「出雲の阿国」など。

▼井上ひさし　「珍訳聖書」（一九七三年）

井上ひさしに「聖書」というタイトルの作品があることに驚いた。驚くことはなかったのである。井上は、洗礼を受けている。カトリック信者であった。ところが、この作品の出だしは、〈浅草ドッグ座〉というストリップ小屋の話である。濡れ濡れの用語は、ストリップ小屋によく似合うし、井上ひさしの手中に収められた、言葉遊びなどは好き放題の、自家薬効中といえるしろものである。登場人物は、すべて犬丸とか犬塚にして、〈犬〉を付け、むしろ、現代のコロナウイルス状況を描いているような〈狂犬病〉ウイルスがものの見事に描かれる。

緞帳が降ろされる。芝居が終わりかと思えば、幕が開いて、舞台は展開が続くことになる。しかも、何回も緞帳の揚げ降ろしが繰り返されるのだ。どんでん返しの手法だ。卑猥な言葉の大盤振る舞い、欲情を刺激するなど、これらのシーンに、ある観客がクレームをつけ、警察が実況検分する場面が劇中にちゃんと用意される。それは、役者が演じて見せる劇中劇方式であり、役者連を調べる刑事を逆に追求し追い込むという方法がとられる。だが、この危機を署長が救う。みんなに手錠をかける、しかも、内三人は指名手配犯人だと。連れ去るとき、〈警察賛歌〉が歌われる。またここで、緞帳、である。が、すぐに上がる。カーテンコールのように、みんな並ぶが、カーテンコールではなく、最前列の警察官を見ていたのだ。いつの間にか、舞台変わり、浅草署の道場。署長が、「署員諸君、お疲れさんでした。……明日、九段会館で行われる〈全国警察演劇コンクール〉には、みなさんがきっと優勝できるだろうと確信しております」と、ここでも、署長と刑事の検証劇というどんでん返しになっている。お祝いに乾杯ということになるが、当日の客席の実際の客にもビールを振る舞いかけたところで、歌にしようという声が入り、客に期待を持たせながら、ビールなく歌に行ってしまいます。ここでまた、緞帳が降りてくる。それまでは、十三景にある支配人が地方巡回大衆演劇の人のことを言うとき、なぜか、〈この人たちは浅草を救うのではないか、もしかしたら、キリストではないか、そう思いましてね〉というせりふがあり、が出てくる。次はラスト景なのだが、この十五景で、初めてタイトルの「珍訳聖書」らしい名前始めてここだけに〈キリスト〉という文字が出てくるが、このラストで、「救世主」という聖書らしいタイトルになる。そこで、男がまとめたように言う。

男　……傑作なのだから仕方ありません。まず、筋立ては波瀾万場です。大衆演劇に不可欠のハラハラドキドキワクワクと言うやつがいたるところに詰まっています。また、意外性、これもふんだんにある。犬の芝居、じつは意外や帰還兵の復讐劇、だと思ったらまた意外や浅草ラック座のショー、ところがまたまた意外や浅草警察署の署長と保安係刑事の深夜の検証劇、しかしここで四度目の意外、以上すべては演劇コンクールに参加する警察官の演劇サークルのお芝居だった、という真っ赤な嘘で、本当はやはり全部ショーだった。そのほかに、このショーには、ごらんになっていただいた通り、歌あり、踊りあり、笑いあり、最後には踊り子がお客様に直き直きにビールを注いでさしあげるという観客サービスまであります。どうですか、至れり尽くせりの演目《だしもの》でしょう？

支配人　……ひょっとしたら、おまえは浅草を救うかもしれない。おまえは浅草のキリストになるだろう。船橋の温泉劇場で、おまえの舞台に見惚れながら、おれはそんなことを考えてた。だが、その勘が狂った、見事に外れたといっているんだ。(2)

最後はこのストリップ劇場が存続するかという議論になる。卑猥すぎれば、即刻警察に摘発され中止させられる。浅草のキリストは救世主になるか。

男　……浅草を救う二八……〈エロ〉と〈笑い〉と〈ぶちかまし〉、この三つを奪回しなくちゃならない。……支配人、あなたは、わたしに浅草を救え、そして、浅草のキリストになれ、とおっしゃった。(略)

支配人　おまえはおれたちの求めていたような救世主じゃなかたんだな。

男　わたしはキリストです。……ユダヤへ救世主がきた。しかし、ユダヤの人が待ち望んでいたような救世主ではなかった。……楽にこの世を生きる方法はなにひとつ教えてくれなかった。ただ、自分と闘うことだけが必要だと、それだけを教えた。自分で自分をお目こぼしするのはいけない、それだけを教え、そして殺された……。(3)

再び幕が下りてくる。狂い犬の十二人(犬丸、犬塚など)の前に幕が下りてきた。幕には〈最後の晩餐〉の壁画があり、十二の穴があいている。そこへ十二犬が顔を出す。しかし、キリストの顔のあるところは、空白。キリストの不在が示される。男は風のように現れた二人の男に短刀で突き刺される。男は大地に崩れる。本当の幕が下りてきて終わる。

浅草のキリストだが、大衆演劇を結局は背負って死んだのであろう。その意味では、ここでのキリストもみんなのために、情況を受け入れたのであろう。救いをそこに設定したと考えられる。

勿論、この劇の主題は、大衆演劇であり大衆劇場である。が、作者井上ひさしの心にあった宗教心が、このような受動的演劇の片鱗をみせる結末を書かせたのだろう。

＊井上ひさし（一九三四〜二〇一〇年）　劇作家、小説家。山形県生まれ。上智大学仏文科。戯曲「日本人のへそ」で注目される。言葉遊びが豊富な作や偽評伝劇が筆力を見せる。こまつ座を創設。

▼水上 勉　「はなれ瞽女おりん」（一九七四年）

「はなれ瞽女おりん」は、はなれ瞽女になった、おりんの物語である。おりんにまつわる人物たちが大勢登場するが、中心は、岩淵平太郎と別所彦三郎、おりんと同じはなれ瞽女のおたまがいる。おりんは、村の青年と通じたため、瞽女社会の掟に触れて、〈はなれ〉瞽女になる。はなれ瞽女は無人の御堂で寝泊りしなければならない。寝泊りするお堂近くで、平太郎と出会う。おりんは親切な平太郎に心を開くが、平太郎は心の底を閉じている。彼は兵役拒否で歩兵連隊の脱走兵なのであった。それ故にか、平太郎はおりんに手を出さなかった。平太郎の留守に、おりんは別所彦三郎に口説かれ犯されてしまう。それを知った平太郎は、別所を殺す。平太郎とおりんは、若狭小浜で密告され捕えられる。平太郎は脱走と殺人で有罪。おりんは情状酌量で許される。

水上戯曲の主人公は、おりんに代表されるように、盲目だったり、どん底を生きたり、男に騙されたり、出合った男とも引き裂かれたり、つまり、底辺にいる女である。世間から見たら最低の卑下するような女である。世間から疎まれる娼婦のような女である。だが、にもかかわらず、彼女は優しく、無垢な女である。決して認められることはないであろうが、世間を受け入れ、耐え忍ぶ力を持っているのである。効率的な社会では、なんのメリットもない女であるかもしれない。だが、本当のところで魂に触れて欲しい人間は、彼女らの生き姿を眩しく、まともに見るだろう。マイナス面だけを見られるような人ではあるが、底の底のところで、好い風を吹き起こしてくれる人間像ではないだろうか。ここには、強い受動性がある。おりんのような女こそ、受動の主人公の要素が詰まっているのではないだろうか。

＊**水上勉**（一九一九～二〇〇四年） 小説家、劇作家。福井県生まれ。寺の小僧など務めて小説家に。小説も書くと同時に戯曲化も試みる。「越前竹人形」「はなれ瞽女おりん」「冬の棺」など名作が多い。

▼別役実「あーぶくたった、にいたった」（一九七六年）

別役実のせりふや場面展開に、宗教的な内容が絡むとは思えない。皆無ではないが、取扱いとしては、飯沢匡の「塔」のように宗教をサギのような立場に置くか、つまり、批判的な形にするかであろう。ただ、〈演劇と宗教の接点〉を特集した演劇雑誌には、別役實が入っているのである。例えば、「悲劇喜劇」一九九一年十一月号（No.４９３）には、岸田良二の「風は虚空の涯からの信号なのか……?」というタイトルで、①が〈別役実は街をさすらう予言者である〉②が〈救済へのかすかな望み〉とある。岸田のヒントから「あーぶくたった、にいたった」という作品を眺めてみた。十景から成り立っている。一景ごとに話が独立しているような展開で、一景ごとに楽しいシーンである。楽しいというより、滑稽というのか、悲しくも（哀れにも）なる筋運びである。そこに流れるものは、生活の惨めさ、働く人の滑稽さであり、サラリーマンのような人の悲しさである。

舞台は、別役作品のいつものようなものである。電信柱があり、ポストがある。中央にむしろが敷かれ、金屏風が立てられ、白垢の花嫁衣裳の女と羽織袴姿の男が座布団の上に坐っている。その前に、朱塗りの膳が並んでいる。場所はおおらい、である。ここから始まる。各シーンの初めと終わりに〈あーぶくたった、にいたった〉の淋し気な歌が入る。例えば、三景の終わりでは、新郎がお膳を前にして、〝好きなものを食べろ〟という〝どちらのお膳からでもよい〟という〈自由〉だからだと、女1　わかったわ。そうね……、普通にこうして自分んとこのを食べてて、時々あれすればいいんでしょう、そっちのを……？
男1　うん……。その気になったらね。そうしてみたくなったらだよ……。
女1　三度に一度ぐらい……？
男1　いや、だから、そんな風に決めるんじゃなくてさ……。いいんだよ、そんな……、自然にやれば、自由なんだから……。
女1　自由なのね……？
男1　自由なんだよ。だから、今、君、僕んとこのごまめ食べたろう？
女1　だって、あんたがそう言うから……。
男1　いやいや、いいんどよ、それがいいんだってことを、今説明しようとしたんじゃないか。そういう風にしようって……。
女1　じゃあ……、あの……、やっぱり私、そっちを食べた方がいいのかしら……？
男1　いや、あのねえ……。
女1　あ、こっちのね、こっちのを食べて時々……。
男1　だからさあ……。
女1　(うつむいて) 私……、何だか……、とっても、食べにくいわ……。
男1　(なぐさめて) そんなことはないよ。ね、そんなことはないんだよ。むずかしく考えることなんか全然ないんだから……。だって、自然にやるんだよ、自由にさ……。ね、お食べ……。(4)

女は男が自由にというが、食べにくくなって〝私……、怖いわ……。〟と言う。こんな風に並べられていく各

シーンの奇妙な面白さをもちながら、最後のシーンの男のセリフに、

男1　いつも、うしろめたいんだよ……。いつも、申しわけないんだよ、生きていること自体がね……。だから私達は、いつもふしあわせだった。それはね、しあわせになれなかったんじゃない。しあわせになることが、怖かったんだよ……。私達はいつの間にか、ふしあわせだけで生きていこうって、決心してしまっていたんだ……。

（中略）

男1　神様、私共のために、雪をお降らせ下さい……。神様……、私共は、生きてきました……。でも、誰にも、そう思ってもらいたくないのです……。神様、私共の死体を、雪に埋もらせてください……。私共が、まるではじめから居なかったかのように……。神様、雪を……、雪をお降らせ下さい、私共の上に……。神様、私共はふしあわせでした。私共は、我慢をしてきました。でも、誰にも、そう言わせたくないのです。神様、雪をお降らせ下さい……。**(5)**

二人凍りついたように動かない。雪が降って、あーぶくたったの遠い歌声で終わる。人間の神に訴えかけるような、神を恨むような、または、神に助けを求めるような最後の言葉である。別役は、神様に、怨みを言ったのか、救済を求めたのか、明らかではないが、受け身と成らざるを得なかった人間の、受け身故の嘆きかもしれないが、そのような人間を作品に、描き切りたかった作者の人間像は、受動的人間像に近くあること感じさせられる。

＊別役 実（一九三七〜二〇二〇年）　満州新京生まれ。早稲田大学中退。組合書記局に勤務。「自由舞台」後「早稲田小劇場」を結成。ベケットの影響を受け、日本における不条理演劇の第一人者。山崎正和などと「手の会」をつくり、多くの作品

を上演。ピッコロ劇団代表など。

▼北村 想 「寿歌」（一九七九年）

北村は精神科を受診していた。そして、キリスト教の洗礼を受けている。といった経歴が、「寿歌」を書かせたと言っていいだろう（このような精神状態になる前に「寿歌」を書いたと言う人もいるが）。一九八〇年代の小劇場演劇の記念碑的作品として評価されたが、何故かこの年の岸田國士戯曲賞に入らなかった。慌てた関係者が、次の年、岸田國士戯曲賞に入選させたとか（「十一人の少年」で）。

「寿歌」は、ヤスオ、ゲサク、キョウコの三人のみの登場人物。そして、ヤスオは、名前は〈ヤソ〉なのだが、他の二人にヤソと言いかけたが、ヤスオと解されてしまう。ゲサクとキョウコは、九重五郎吉一座というドサまわりの演者。舞台は核戦争の終わった時の関西地方。世界は廃墟。残りミサイルが飛び交う中をリヤカーに商売道具と家財道具を載せて、旅回り。ゲサクとキョウコは、ヤスオと出会う。三人の奇妙な旅が始まる。〈いい加減〉なせりふがまず面白い。

キョウコ　あんた、どこまで行かはるの。
ヤスオ　私、ずっとむこうまで。
キョウコ　ほなうちらと似たよなもんや。うちら、ちょいとそこまで行くねん。なあ。
ヤスオ　その、ちょっとそこまでとずっとむこうまでと、どの辺が似たようなもんなんでしょう。（6）

キョウコとゲサクから貰ったホシイモで、ヤスオが手品のようなことをする。

ヤスオ　あの、私、特技があるんです。
キョウコ　トクギ？
ヤスオ　はい。あの、パンか何かありませんか。
ゲサク　ないな。ホシイモばっかりや。
ヤスオ　でしたらホシイモでいいです。
（ポケットから次々にホシイモを出す）
キョウコ　あっ手品や。
ゲサク　キョウコはん、これは手品やおまへんで。物品引き寄せの術いうやつでっせ。(7)

景一、花火。景二、火垂（ほたる）。景3、風雷。景四、惜雪。から成り立っている。「核戦争の終わった、ある関西地方都市」、の始まりから「地球すべて雪。この日より氷河期始まる」のト書で幕となる。景二、火垂では、キョウコとゲサクが漫才をする。ヤスオには、理解できない。できないはずだ。中略漫才と言うて、相手のせりふを一つ飛びこえて言われる漫才。これが、〈予定調和に対する反逆。運命に対する抵抗。ラブラス逆転漫才〉という。冗談だが、すべてが、いい加減な、しかし、通常（ありきたり）に対する批判がある。旅は続く。諸々の事件（エピソード）が起こる。ダルタニアンや武蔵、怪傑ゼロ、だったりのチャンバラあり、弾丸受けとめの術がある。だが、ここで、キョウコの暴発に当たったゲサクが死ぬ。

（ゲサクの墓の前に二人）
キョウコ　元はと云えばあてが悪いんや。あてがあの時ピストルを……（泣く）。
ヤスオ　キョウコさん、泣くな。泣いたって死んだ人間は帰ってこない。
（ところがゲサクがくる。）

ゲサク　おまっとさんでした。(8)

何の説明もなく、ゲサクが生き返ってくるのである。「出鱈目は芸の真ズイ。意味づけは時の権力」といった名句が出てくる。

途中教訓的なおとぎ話が出てきたりする。キツネとクマとウサギとご主人。食い物のない山で、ウサギが焚火に飛び込んで、自分のまる焼けのエサを造る。どうぞ私のまる焼けを食べてくださいと。ウサギの犠牲的精神を飛び越えた強烈な話であるが、さらに、「人食い虎の穴の中に落っこちて、虎と対面する。ほいでこの虎に勝つ方法あるか」とゲサクがヤスオに問う。

ヤスオ　ありません。
ゲサク　ところがあるねん。
ヤスオ　どうするんで。
ゲサク　虎に食われる前にな、食わせたるねん。
ヤスオ　何を？
ゲサク　自分のからだに決まってるがな。(9)

ここには、通常を乗り越えたものがある。通常は、人間は助かりたいと思うが、虎が人間を先に食うだろう。〈虎に食われる前に、自分を食わせる〉と言うのだ。そんな勇気があるか。状況を背負う勇気と根気とまさに忍耐である。この話には、受動の姿が見える。虎に食わせる主人公こそ、受動的主人公であろう。世紀末（終末）の世界に漂う受動性であると思える。

＊**北村想**（一九五二年〜）　滋賀県大津市生まれ。名古屋の中京大学。そこで学生劇団の「いかづち」に参加。後、「演劇師団」旗揚げ。作・演出・役者。「ＴＰＯ師★団」から「彗星86」から「プロジェクト・ナビ」（名称変更）へ。紀伊国屋演劇賞も受賞。伊丹ＡＩホールの「想塾」指導。

【注】有吉佐和子、井上ひさしと別役実、北村想

（1）　武田友寿『日本のキリスト者作家たち』教文館、一九七四年六月

（2）・（3）　井上ひさし「珍訳聖書」のせりふ

（4）・（5）　別役実「あーぶくたった、にいたった」のせりふ

（6）〜（9）　北村想「寿歌」のせりふ

ここに取り上げなかった名作は、戦後だけでも多くある。例えば、三島由紀夫「サド侯爵夫人」「鹿鳴館」「近代能楽集」、久保栄「火山灰地」、久保田万太郎「大寺学校」、真船豊「鼬」、福田善之「真田風雲録」、宮本研「美しきものの伝説」、清水邦夫「真情あふるる軽薄さ」などなど数多くある。それらの作品をここでは、落として来たが、これはあくまで、一つの形に絞り込んだからである。受動的主人公を持つ作品にのみしたからである。勿論、受動的主人公の作品においても、解釈の仕方によっては、まだまだ零れ落ちた作品があったであろう。あくまで個人的に目についたものを取り上げた。抜け落ちたものは、今後の課題になることを想ってのことである。

■閑話休題■大学院生に伝えたかった受動的教育■

パトスの精神ということ――受動的主人公を描く劇作家にふれて――

吉本隆明がある雑誌で、人々の心を現在牽引しているのは、偉大な思想家でも哲学者でもなく、細木数子と江原啓之だと言っている。この発言が面白かった。そして少し胸に応えた。この二人に美輪明宏が加わるのかもしれないが、現代において私たちは何を価値基準にして、何を頼りにしていけばよいか、迷っている人が多いのは確かであるから、このお三方のような人たちの発言が重要視されるのだろう。文芸学部舞台芸術専攻に来て二十年目になったが、実習室で、教室で、そして劇場で、私の最も愛する演劇において、人間のありようを示していく作業をしているはずなのであるが、確かなことは今出来ているとは言えない。演劇の中でも〈新劇〉という分野を愛してきたが、新劇の主題であったと言える、戦争の悲劇から脱出すること、貧しさから抜け出すこと、抑圧する制度から解放されること、といったことが主題であったが、戦後六十年近く平和が保たれ、所得倍増や高度成長によって豊かさを感じ、民主主義によって平等や自由感覚を得るという時代変化で、つまり、戦争の犠牲、貧乏の犠牲、封建制の犠牲からは脱出出来、それはある意味で成長、発展を遂げたと感じられる幸せな時期であった。だが、心の豊かさに到達するには、まだまだ距離があった。戦争や貧乏を主題に演じられても、物の豊かや豊かさのなかでの心の貧しさを演じられる演技や、新しい感覚を持った劇作家は獲得されていなかった。迷走しているうちに、またもや不平等、不公平、格差社会などと叫ばれる時代を迎えてしまっている。さらには、新しい思想家や新しい発言をする哲学者も出ては来ないという、あの吉本隆明発言のようなものが出てくる時代に向き合うことになってしまったのだろう。

大学で何を教え、劇場でどのような行動が出来ているか、自問自答しても、その結果は、心もとなく想っているといった、いささか情け無い状態であると言えようか。勿論、吉本隆明も、細木数子や江原啓之は、いまの時代の〈間に合わせ〉に過ぎないだろうとは言ってはいるが、このような時が続けば、教育者としての我々の責任とは、と問いかけなければならないところにくるのかもしれないだろう。いや、かなり前から来ているのだろう。

演劇の中でも〈新劇〉というものを愛してきたが、反新劇の人々や、新劇という言葉も死語になったという人々まで登場してきて、現代はまさに渾沌としているのである。ただ、〈新劇〉といってもいろんな種類というのか、いろいろな傾向の舞台がある。リアリズム演劇と言われた手法が代表的に伝えられているが、演劇界には多種多様の舞台がある。これまで自分が好むというのか、作品を選択してきた結果に見えてくるものは、弱い人間の姿というのか、行動的でない人間を描いたものが多かったように思われる。そして興味を持ち続けてきたものは（これは必然なのか偶然なのかはわからないが）結果として宗教的な感覚をもった作家のものであった。戦後の劇作家で言えば、三好十郎、田中千禾夫、木下順二、遠藤周作、椎名麟三、矢代静一などの人たちが浮かんでくる。しかし、彼らは、いわゆる宗教作家ではない。左翼思想の作家と言ったほうが正確な作家もいれば、十六歳に洗礼を受けてはいたがそれは伏せておいて、六十九歳で初めて明らかにした作家、カトッリクの作家と思われていたが実際の宗教者になったのは書くことを辞めてからの作家、といったような作家たちが主である。勿論、中には、宣教師を主人公に書いた作家もいるが。これらの劇作家の作品に登場する中心人物は、一口に言ってしまえば、〈受動的〉な行動をとる人間である。

私たちの幼い頃からの教育、幼稚園からずっとというのか、さらには自分が教壇に立つようになってからも、教育の中心は、〈能動的〉な行動をすること、つまり、積極的、行動的、前向きな態度を持って、成長・発展するということで人間を評価することがほとんどであった。受動的な行動、つまり、消極的、受身的な態度は、マイナス評価であった。人間、産まれてきて、生きるためには、競争に勝って行かないと崩れてしまう。こんにちの言葉にも、勝ち組、負け組といったことが言われるように、ここでの価値観ははっきりしている。積極的、行動的、前向きな態度であることが、最も能力をつける近道だからであろう。しかし、成長・発展するという右肩上がりの発想がかならずしも好いとは限らないのではないかという疑いも出てきた。成長・発展の拡大路線の躓きや競争の激化による心の荒びである。能力があるということは、よいことである。能力があってこそ能動的になれる。能動性があってこそ、能力がつく。能動的で、能力があれば、強い人間、勇気ある人間にもなって、男なら女性にもてる英雄的人間でいられるであろうし、女性ならこれに美しさが加われば、最高であろう。演劇に登場する恋愛も、勇敢な男と美しい女の恋愛であり、弱い男と美しくない女の素敵な恋愛などは決して描かれない。能動的、前向きな姿勢こそ、相手を素晴らしくして行くものであり、花開くものなのである。前向きな姿勢、つまり上昇思考（志向）こそが評価の対象になるのである。前向きな学生に出会えてこそ、「あいつはやる気がある」と言って教員は嬉しくなってくるのである。しかし、世の中には弱い人間、能力のない人間が存在する。そのような人間を叱咤激励して、強い人間、能力のある人間に上昇させていくことが教育であるということが前提であるかもしれない。が、果たして上昇志向は万能な思考なのであろうか。こんな時代に、どんな教育をすればよいのか、相変わらずの上昇志向、能力主義、行動力、といった能動性を講義しておけばよいのか。

遠藤周作は小説家であるが、演劇の台本（戯曲）も書いた人である。ただ、小説は数多く創作されているが、戯曲は六本しかない。そして戯曲に取り扱われた内容はほとんどか弱き人間像であった。小説で『沈黙』『イエスの生涯』『死海のほとり』などの弱きイエスを描いたものと同世界のものである。戯曲での代表作「黄金の国」では、宣教師が中心であるが、その宣教師が、踏み絵の前に立たされると、なんと、踏み絵を踏んでしまう宣教師なのである。神への、イエスへの裏切り、である。宣教師にはあるまじき行為である。まことに弱き、ダメな宣教師である。しかし、遠藤作品では、「踏むがいい。踏むがいい」とイエスの声が聞こえてくるのである。「踏むがいい。踏むがいい、私を。そのためにこの私はいるのだ、人間たちの苦しみに踏まれるためにこの私はいるのだ。人間たちのその足の痛さを引きうけるためにこの私はいるのだ。私も痛い。だがお前も痛かろう」と。これはイエスの許しの言葉ではない。「私も痛い。だがお前も痛かろう」、互いの苦しみを持ち続けることなのである。弱さゆえの挫折ではなく、苦しさを持ち続け、耐え続ける、背負い続けることなのである。『死海のほとり』には、こんなようなことが想像される場面がある。イエスは請われて村人の病気を治しに行くが、病人の前で、弱きイエスは何もできない。人々はイエスに病人の病気を治すこと、奇跡を求めるが、ダメなイエスは、病人の手を握ることぐらいしかできない。人々は怒ってイエスに石を投げる。イエスは辛い。期待される人間が期待されることを出来ないほど恥ずかしいことはない。だが、イエスは逃げ出さず、病人の側にずっと坐って朝までいる。そしてイエスは「私はあなたの病気を治すことはできない。……でも私は、その苦しみを一緒に背負いたい。今夜も、明日の夜も、その次の夜も、……。あなたが辛い時、私はあなたの辛さを背負いたい……」と。病人は、イエスが痛さや苦しみはとってくれなかったが、そして手を握ることくらいしかしてくれなかったが、逃げ出さず、じっとずっと自分の側にいたイエスに〈深い愛〉を感じるのである。ここには、苦しいが、逃げ出したいが、逃げ出さず、それに耐え、相手を受け入れる姿がある。これまで、能動的にものごとができることはよいことであり、素晴らしいことであるとされてきた。しかし、素晴らしいもののみを求めて行けば、成長がとまったとき、また負の側面が見えたとき、切り捨てか、別れがくるであろう。恋愛においても、人々はプラス面のみを追い求める。マイナス面が見えればオサラバである。人間、長所もあれば短所もある。善いところも悪いところも含めて丸ごと愛する愛はないのであろうか。相手を受け入れること、受容すること、相手を素晴らしく変革できる愛はできなくとも、受動的で消極的であるが、相手を受け入れる、受け入れ続ける、受容する、受容（受動）の愛があってもよいではないか。

木下順二という劇作家は、新劇を代表する作品を書いてきた人である。木下のドラマ概念は、人間を越える力（者・物）と対峙（対決）する主人公と、その二つの間に漲る緊張感の中にドラマを見出すことである。だが、人間を越える力に人間は勝てるはずがない、敗れるのである。敗れるが、しかし、「にもかかわらず、いや、だからこそ」人間は、自分を超えるものに対峙して行く。通常ならば、負ける戦はしない。負けるとわかっていて闘いに挑むとは何事か、ということになる。が、木下の人物は、にもかかわらず、いや、だからこそ、自分を超えるものに相対して行くのである。相対して、といっても、積極かかんに闘うのではない。人間を越える力が、巨大だから、怖ろしいから逃げるのではなく、その相手を受動、受容する。受苦、受難に遭遇しながら、対峙する。受苦＝パトスの先に幸運が待っているという保証はない。長いトンネルを抜けられるとは限らない。それでも受難を受け入れるのである。背負い続けるのである。木下ドラマの場合は、この受難が〈自己否定〉の契機を与える。自己を否定するとは大変なことであるが、自己否定によって人間は変って（自己変革して）行く、という、最後のところで、上昇思考はあるが、スタートは、受動（パトス）的態度である。

演劇の観客が劇場へ行くとき、客席に着くとき、開幕のベルが鳴ったとき、幕（舞台）に向かって、能動的か、といえば、舞台の世界に積極かかんに闘いを挑みに来ている態度ではない。観客は、先ず、舞台を、劇の世界を、享受しようとしている。劇の宇宙を受け入れようとしている、受動的態度でいる。演劇は、観客を受動的態度にする要素を持っている。受身な態度、受動の態度は、消極的でマイナスの評価を与えられるが、先ずは、他人のこと、周辺のこと、世の中のこと、世界のこと、を受動の態度で、受け入れてみる。そして、演劇の観客が劇の世界に入っていくにしたがって、劇の世界に能動的にかかわり、対峙していくように、人々もまた、受動の態度から、他者や世の中へ能動的にかかわり、対峙していく。つまり、受動から能動へ。受動的能動と言ったらよいか。昨今はあまりにも、他人の言動を受け入れる人が少ないというのか、自分以外の人間の気持ちを理解することが少ない。誤解された行動性、能動性が溢れ過ぎているのではないか。

だが、演劇の主人公は、〈劇的行動者〉と言われて、劇的な人間であり、行動的な人間でこそ、劇的緊張感に溢れた演劇（ドラマ）がつくれるのである。受身な、受動的な、行動的でない人間に、ドラマは生まれにくい。遠藤周作は、大正十二年（一九二三年）に生まれて、平成八年（一九九六年）に亡くなったが、七十三年間の生涯に小説を数多く書いた作家にもかかわらず、戯曲は昭和三十二年（一九五七年。三十四歳）から昭和四十九年（一九七四年）の僅かの間だけ、六本しか書いていないのであった（三十二年以前に高校生に書いた戯曲が近年見つかっているが）。遠藤周作が戯曲に手を出さなくなったのは、受動の人間をドラマとして書くことの、難しさを物語っているのだろう。

〈沈黙の演劇〉の劇作家と言われた太田省吾という人は、若くして天に召されてしまったが、彼の言葉のなかに、「能動の言葉と受動の言葉、どちらが強い姿勢かといえば、能動だとはかならずしも言えない」と、ある。彼は、劇的な時間から捨て去られた時間をむしろ演劇の時間に選び取った人である。その人の言葉が、強い姿勢が「能動だとはかならずしも言えない」という言及が印象に残る。

私たちが、当然のように是としてきたもの、能動的、行動的、積極的、活動的、勇敢なこと、英雄的なこと、能力があるいうこと、このことは、大切なことではある。しかし、私たちが捨て去ってきたかもしれない、受動、受苦、受難、受容といった言葉、つまり、〈パトス〉ということ。パトスは、私たちが日常、パッションという言語からイメージする情熱や情念ということではなく、受容するということ、それは、単なる受け入れるという意味ではなく、受苦、受難といった、自分が困難を背負わなければならないという、対峙する相手を背負い続けるということを含みこんだパトス、の態度なのである。

受身的なこと、受動性のため、コンプレックスを強く持っている学生たちが多くいる。能動性、行動性の教育を悩んできた学生たちである。いや、学生のみならず、社会の人々もまた、能動的になれないことに多くのコンプレックスを持ち続けている。だが、パトスの精神は、ダメな人間にも、弱き人間にも、強く生きられる受動的能動ということを学ばせてくれるし、コンプレックスに悩むことからも解放してくれる可能性を持っている。パトスの劇作家が、演劇の変革を起こしてくれるなら、または、教育者がパトスの精神を見つめ直してくれるなら、世界の片隅で、小さいながらも、価値の転換があるかもしれない。

第三章　番外でない番外
原点としての外国作品
――ソポクレスの「オイディプス王」の戯曲構造
受動のドラマとしての視点――

はじめに

「生まれてはならぬ人から生まれ、交わってはならぬ人と交わり、殺してはならぬ人を殺した」（岡道雄訳）と叫ばなければならなかった男・オイディプス。ギリシャ悲劇、ソポクレスの名作「オイディプス王」の主人公にほかならない。オイディプスの父ライオスは、もし男子を儲ければ必ずその子によって殺されるというアポロンの予言を無視して、子供＝オイディプスをつくった――「生まれてはならぬ人から生まれ」たのである。そして、オイディプスは、イオカステを母親とは知らずして、イオカステとつまり母親と結婚する――「交わってはならぬ人と交わり」を持ったのである。オイディプスは、旅の途中一人の老人を殺す。それは父ライオスとは知らずにではあるが、父親を殺してしまう――「殺してはならぬ人を殺した」のである。オイディプスは、すべてを目の当たりにした時、自らの眼をくり抜き盲目の人となる。ギリシャ神話のテバイ伝説から取られた、あまりにも有名な物語である。

ソポクレスの「オイディプス王」という戯曲は、演劇に携わる人間に、一度は読まれ、あるいは研究や上演の対象になる作品である。「戯曲そのもののモデルとも考えられる。「オイディプス王」は悲劇の典型でもなければ、見本でもない、が、これこそ正に悲劇の〈原型〉だと言ってよかろう」（1）という言もある。典型か見本か原型かは、この作品の追求の結果として表れて来ると思われるが、ギリシャの哲学者アリストテレスが、『詩学』の中で言及した「オイディプス王」についての分析、悲劇論とも言える芸術論は、ドラマ構造を追求する者にとっては、確かに一度は通過しなければならない道であると言える。多くの劇作家や演劇研究者によっても、ソポクレスの「オイディプス王」のドラマ構造は、アリストテレスの〈発見〉と〈急転〉と〈カタルシス〉のキーワードを使って分析されている。さらに「オイディプス王」には、論究したい素材が数多くある。それらについても、多種多様の論及がある。現代日本においても、日本にオーソドクスなドラマをそしてドラマ論のベースをつくり出そうとする劇作家の木下順二によって、明瞭で注目すべき「オイディプス王」のドラマ構造が描き出されている。そしてまた、海外の演劇研究者（翻訳されたものの中にも）フランシス・ファーガソンの『演劇の理念』における「オイディプス王」・行動の〈悲劇的リズム〉や、講演記録を単行本にしたプロメテウスとオイディプスにおけるJ・Pヴェルナンの『「オイディプス王」』の謎とスピンクスの謎」などは、最も興味を引かれる探究論文であった。ファーガソンの明晰な分析には、〈行動の悲劇的リズム〉＝「目的」、「パッション（受苦）」、「認識」というプロセスで、作品の実体や形態（形式）が捉えられており、ヴェルナンにおいては、オイディプスとスフィンクスの謎との関係――何故、オイディプスはスフィンクスの謎が解けたか――が、作品全体の謎を解くように述べられている。

「オイディプス王」におけるドラマ構造論は、アリストテレスの分析が一般的と言ってよいが、日本における木下順二の「オイディプス王」解釈は、アリストテレスの定義をさらに深くし、古典演劇（オーソドクスな演劇）におけるドラマ論を見事に示してくれる。

ソポクレスの「オイディプス王」を考察する時、アリストテレス、ファーガソン、ヴェルナンや木下ドラマ論などを通過することは必要である。しかし、ここで、探究しようとすることは（あくまで嘗てのドラマ論を踏まえてのことではあるが）嘗てのドラマ論において、あまり追求されなかったところの「オイディプス王」の〈終章（エクソドス）〉のラストシーンについて考えてみたいのである。

オイディプスは、怪物スフィンクスの謎を解いてテバイの国を救う。さらに、疫病に苦しむテバイの国を再び救うために、オイディプスは先王ライオス殺しの犯人は誰か、という第二の謎解きをする。そして、思わぬ結果が与えられる。その思わぬ状況に遭遇するオイディプスを劇的に捉えたのがドラマ論であるが、〈結末〉に来る結果に対して、ドラマ論は単なる結果以外の意味は持たしていない。それは、作者のソポクレス自体がオイディプスの行動の結果の意味を描写していないためではあるが。そして、人によってはその結末をドラマ論に添うように、オイディプスの行動を筋立てている。例えば、国外追放を嘆願したオイディプスが「テーバイをあとに放浪の旅へ出てしまう」(2)というところで終えてしまう、などである。これはある意味で適切な筋運びである。しかし、「オイディプス王」の作品のラストの描写は、オイディプスが旅立つのではなく「館の中に入る」ところで終わっている。近年翻訳された、オリヴァー・タプリンという人の指摘の中にもそのことを見出すことが出来る。勿論、ソポクレスの「コロノスのオイディプス」において、オイディプスが国外へ追放され、アンティゴネと彷徨う姿を描いているのであるから、この作品との関連においては、館の中に入るオイディプスが、放浪の旅に出ることが暗示されているとイメージするのが自然ともいえる。勿論、オイディプスが館へ入るそのことに意味を見る解釈も可能であろう。

ここでの探究は、作者ソポクレスもあまり重要視しなかった（にもかかわらず「可なり長い下りを持っている」(3)というフライタークの指摘もある）ところのこの〈終章（エクソドス）〉について考察してみたいのである。この終章へのアプローチは、従来のドラマ論とは違った重点の置き方が出来、また、舞台のイメージも形を変えて見えて来るように思えるからである。

そしてそれは、劇的世界を通過した主人公が、浄化（カタルシス）の作用をもって、新しい生命を生み出すという従来のドラマ論、つまりこれは、上昇志向（思考）にほかならないと思えるのだが、これは能動的なドラマ論と言えよう。これに対して、終章に重点をおいてここで探究しようとする視点は、受動的なドラマと言おうか、主人公が状況を受容して行く〈受容（受動）のドラマ〉と言えるものに辿り着くイメージなのである。

「オイディプス王」の一般的な視点を辿りながら、受容（受動）のドラマの視点を追及してみたい。

（〈受容〉という言語について——ここで使う〈受容〉という言語は、従来一般的に使われる、例えば「西洋文化の受容の歴史」などといった、単なる受入の用語として使っていない。その意味では、〈受容〉は誤解されるかもしれない言語である。ここでは、〈受動〉という言葉と併用する。実態を意味するところは、受容のドラマ概念に言及することによって説明するつもりである）

（1）「オイディプス王」の物語

ソポクレスの「オイディプス王」は、アポロンの神託によって「父を殺し母と結婚する」と予言されたオイディプスが、神から与えられた過酷な運命を逃れようとするが、結局、その運命を生きてしまう、という残酷な悲劇物語である。オイディプスは、コリントスの王子として育てられたが、アポロンの神託——父を殺害し、母と交わるという託宣——を聞いて、禍いを恐れ、コリントスの父母のもとを離れる。旅の途中一人の老人を止むなく殺し、そしてテバイの国へ来る。その頃、テバイの国は、怪物スフィンクスに苦しんでいた。オイディプスは、テバイの人間の誰もが解けなかったスフィンクスの謎を忽ちに解いてしまう。テバイの国は、国を救ったオイディプスを王に迎え、未亡人であった先王の妻イオカステが妃になる。オイディプスは幸せのうちに国を治め、四人の子供（エテオクレス、ポリュネイケス、アンティゴネ、イスメネ）も出来る。そして、平和で幸せな生活の十数年が過きる。ソポクレスは「オイディプス王」の作品を、この平和で幸せな生活の十数年が過ぎ去ったある日、民衆がオイディプス王に嘆願するところから劇を始めている。

●その、あらすじ

テバイの国に〈疫病〉が流行る。作物は立枯れ、家畜は倒れ、女らの孕む子は死に、再び国が危機に瀕していた。オイディプスは、かつてスフィンクスの謎を解き、テバイの国を救った男である。民衆は、王となったオイディプスが再びこの国を救うことを嘆願する。

オイディプスは民衆の願いを忽ち了解する。そして、オイディプスはアポロンに伺いをたてる。神託は、先王ライオスを殺害した下手人を探し出し、国を汚しているその罪人を追放もしくは流された血を血によって、罰せよと命ずる。オイディプスは、国を救うため第二の謎解きを開始する。

オイディプスは盲目の予言者テイレシアスに尋ねるが、なぜか答えない。憤った王はテイレシアスを犯人の一味と言って罵る。怒ったテイレシアスは、犯人はオイディプス王あなた自身だと言って去る。

妃イオカステが、予言者の言うことなどあてにならぬと言って夫オイディプスを慰める。その慰めの言葉がオイディプスに新たな不安をあたえる。それは、ライオスとイオカステの子供が、父を殺し母と結婚するという予言であったが、山奥に捨てさせ、しかも、ライオスは三道の筋の合わさるところで、自分の子供の手によってではなく盗賊によって殺されたというものであった。オイディプスは、この妃の慰めの言葉を聞いて、逆に心揺らぎ胸騒ぐのであった。それは、オイディプスもまた三道の筋の合わさるところで老人を一人殺していたからである。だが、ライオスを殺めたのは、盗賊であり、複数人であったという。オイディプスは自分一人であったから不安はぬぐわれたが、証言に来た年寄りが、三道の筋の合わさる事件の現場から逃げ帰った者であると同時に、なんとテバイで生まれたオイディプスを山奥に捨てに行った羊飼いと同一人物ということが——コリントンの使者によって——わかる。そして、遂にオイディプスは自分が、ライオスとイオカステの子供であり、テバイに汚れをもたらした下手人その者であり、神託どおり残酷な運命を生きた人間であることを目の当たりにする。母であり妻であったイオカステが自らの命を断ったその姿に飾られたピンで、オイディプスは両目を貫く。そして、国外追放を嘆願して、この劇は終わる。(「国外追放を嘆願して、この劇は終わる」と通常判断されるが、作品の実際は、まだ長い終わりのシーンがある)

(2) 第一の謎・スフィンクスの謎

第一の謎であった〈スフィンクスの謎〉については、ソポクレスは作品に直接描いていない。しかし、オイディプスの劇中の行動は、ライオス殺害の犯人を探すことである。これは、第二の謎解きである。とすれば、スフィンクスの謎との関係があっても当然なことのように思われる。「オイディプス王」に言及する多くの研究者は、勿論その関連に触れている。一般的には、オイディプスが「秀でた知力の持主といったものである。その知恵者が、自分自身が犯人であるという第二の謎を、直ちに解けなかったこと、そのことの比較に——オイディプスの立場の逆転に——第一の謎が使われることが多い。さらには「この劇のより大きな問いが出現するにつれて、スフィンクスの謎はいかにも子供っぽいものに思え、その謎自体が底の浅いものであるように、われわれには思えてくるだろう。……しかし、この劇の謎は、スフィンクスの謎とは対照的に、より暗い影、小宇宙と大宇宙の双方の影を暗示している」(4)とスフィンクスの謎を底の浅いものといい、単にオイディプスの賢さを示すだけのものと強調する人もいる。そして、スフィンクスの謎とはこのようなものであり、オイディプスはこう答えた、といった解説でのみで終えられているのが一般的である。だが、オイディプスが、何故スフィンクスの謎が解けたか、それはただ、秀でた知力者といった理解だけでよいのか、スフィンクスの謎とは本当にたわいないものなのか。先に見た見解ではいささか疑問が残るところである。むしろ、何故スフィンクスの謎が解けたか、ということが重要ではないか、そしてそのことが、第二の謎との関連をさらに重要であると証明して行くのではないか。

このような観点でスフィンクスの謎を日本で述べたフランスの学者がいた。書物になった翻訳者のあとがきによれば、一九七四年東京でなされた、J・Pヴェルナンという人の講演である。J・Pヴェルナンは、『オイディプス王』の謎とスフィンクスの謎」というタイトルを持つこの講演で、スフィンクスの謎そのものが、オイディプスの謎そのものに深く絡まっていることを述べている。ヴェルナンの解釈に触れるその前に、〈謎〉そのものに触れておく。


〈スフィンクスの謎の話〉

「スフィンクス」とは——

「乙女の顔、翼を持つ獅子の姿をした……丘の上に座を占めて、解き難い謎をうたい、答ええないテバイの民の生命を日に日に奪って行った」怪物なのだ。

「スフィンクスの謎」とは——

「二つの声をもち、二つの足にしてまた四つの足にしてまた三つの足なるものが
地上にいる。地を這い空を飛び海を泳ぐものどものうち
これほど姿・背丈を変えるものはない。
それがもっとも多くの足に支えられて歩くときに、
その肢体の力はもっとも弱く、その速さはもっとも遅い」
という歌で残っているようである。(5)

オイディプスの答えは「人間」であった――生まれた時四つの足で這い、大人になって二本の足で歩き、老人になって杖の助けを借りて三本の足になる。それは人間であると――その答えを聞いたスフィンクスは岩から身を投げて死んだ。

スフィンクスの謎について通常書かれているのは、スフィンクスの問いとオイディプスの答えだけである。しかし、ヴェルナンは、オイディプスが回答出来た内容に深く入っている。オイディプスが答えられた一つの理由として、このスフィンクスの謎は、〈足に関する問い〉なのである。「二つの足。四つの足。三つの足」は、ギリシャ語で「ディプス。テトラプス。トリプス」となる。「プス」とは〈足〉のことであり、「ディプス」は二本足のことである。この「プス」「ディプス」の言葉は〈オイディプス〉の名前の中に含まれている。「ディプス」は二本足の大人オイディプスそれ自身といえる。両足のくるぶしをピンで刺し貫かれて捨てられたオイディプスは「ふくれている(=オイドス)足(=プス)」という名がついていた。スフィンクスの問い対して「自分、すなわちオイディプスがそれであるところの人間」と答えられたわけである。

さらに、ヴェルナンは、オイディプスが何故スフィンクスの謎を解けたかを、足の答えのみに止まらず、一層深く解き明かしている。

まず、オイディプスが〈人間〉と答えたものは、この謎の回答としては、不十分だと言う。オイディプスの

回答は、四本足、二本足、三本足（赤子、大人、老人）と三つの世代を段階的に辿る人間なるものを言ったのである。しかし、「一つの声をもち、二つの足にしてまた四つの足にしてまた三つの足なるものが地上にいる」と問うスフィンクスの謎に対しては、通常人間はこの三つの世代を〈順次的〉にしか実現出来ないが、この謎の問いに対しては、三つの世代を〈同時的〉にあるものを回答することが必要であったとヴェルナンは言う。とすれば、オイディプスが答えた、順次的に生きた人間、という回答では確かに不十分である。ところが、オイディプスは、自分を指さして人間と答えた。すると、スフィンクスは断崖から身を投げて死んだのである。何故か。それは、オイディプスが、三つの世代を〈同時的〉に混同して生きる人間だからであった。すなわち、オイディプスは、母親と結婚し夫になることによって三本足の老人であるライオスの位置（祖父）と自分を混同させ、二本足の夫であり父であるという自分自身を混同させ、自分が生まれた同じ腹から生まれた四本足の世代に属する子供たちとは、わが子であり兄弟でもあるという混同をうみだした。つまり、オイディプスは、三つの世代を自分の中に混同して持つことになる人間であった。そしてだからこそ、他の人間に出来なかったスフィンクスの謎に対して、オイディプスは回答出来たのである。と、ヴェルナンは見事に分析している。

ソポクレスの「オイディプス王」におけるドラマの進行は、ライオス殺害の下手人は誰かという第二の謎解きである。そして、この謎解きこそ、ソポクレスが劇中で描いていないにもかかわらず、オイディプスが何故スフィンクスの謎が解けたかという、そのことを明らかにして行くものである。さらに、第一の謎解きにおいて、オイディプスに意識されていなかった謎解きの重みが、第二の謎解きにおいて、その謎の重み――三つの世代を混同して生きた人間であり、しかも自分自身が犯人であったということ――が、明瞭に意識化される。その意識化された謎の重みを、オイディプスは自分自身にいかように背負うことが出来たか。そこにこそ、ドラマはなかったか。そのドラマとは、謎解きと謎の重みを受容するオイディプスの姿にこそドラマを見るというものである。その考察に入る前に木下ドラマ論を見ておく必要があろう。

（3）「オイディプス王」における代表的なドラマ論

劇作家木下順二は、アリストテレスの「発見」と「急転」の原理によって、オーソドクスなドラマ論を展開しようとしている。ギリシャ悲劇（ソポクレス「オイディプス王」）、フランス古典劇（ラシーヌ「フェードル」）、シェイクスピア劇（「マクベス」「ハムレット」）、近代劇（イプセン「人形の家」）などのドラマトゥルギーを解き明かしている。その中で、ソポクレスの「オイディプス王」の戯曲構造分析は、見事な形をなしている。

木下ドラマ論の中心は、人間と人間を超える力との対峙の中にドラマがあり、そして、主人公は行動の結果、自分を根底的に否定しなければならないモメントを発見し、自己否定を行なって、価値の転換を成す、ということがベースになっている。人間は自己否定によって歴史を進めていくという、弁証法のドラマ論、あるいは変革のドラマ論といっていいかもしれない。

（イ）まず、ドラマには「潜在的矛盾」という前提条件がある。主人公が明瞭に自覚しない矛盾の上に立っている。オイディプスが知らないうちに、父を殺し母と結婚していたという矛盾が潜在している。

（ロ）そして「ドラマの開始」である。ドラマの開始は事件が始まるから開始というようなものではない。ドラマの開始とは、潜在的矛盾を顕在化させる契機が与えられ、それが主人公の行動になって外へ現れ始める瞬間である。オイディプスに先王ライオスの殺害者を探し出すという契機が与えられることである。オイディプスは、アポロンに伺いをたて、予言者テイレシアスにその犯人を聞こうとする。オイディプスは犯人探しという目的に向かって行動を開始するのである。

（ハ）「ドラマは進行」する。ドラマの進行とは、単なる先へ進むということではなく、潜在的矛盾が徐々に顕在化し、矛盾が解けがたい矛盾として認識されて行く過程である。――あなたこそがその犯人だと言う予言者テイレシアスの言葉によって、潜在的矛盾が顕在化しはじめる。オイディプスは、妻イオカステやコリントスの使者や羊飼いの男の証言によって、自分がライオスとイオカステの子供であり、アポロンの神託どおり、父を殺し母と結婚した犯罪人、国外に追放すべきその人が自分自身と知って行く。

（ニ）主人公は「発見」する。潜在的矛盾が完全に顕在化した時、今まで知らなかったことを決定的に知る。しかし、木下はこの発見は、箱を開けて中にお菓子があるのを見つけ出す（ディスカバー）という程度ではなく、自分が避けることの出来ない本質的矛盾を発見する、つまり、主人公は、自分自身を根底的に否定する理由を発見するのである。

――オイディプスは、自分が犯人であったことを知る。それは、秀でた知恵者であり、幸せな王と思っていた自分が、実は国を汚していた犯罪者にすぎず、そのような自分は根底的に否定されなければならないことを発見するのである。

（ホ）そして「急転」がおこる。自己否定の契機を発見したことによって主人公は、自分を根底的に否定する。そのことによって、主人公の状況や行動が全く反対の方向にかわる。――オイディプスは、国外追放を嘆願し、幸せな王から罪人に自分の立場が一八〇度急転する。

（ヘ）最後に「カタルシス」というものがある。アリストテレスは、哀憐と恐怖を通して、情緒の浄化作用（排泄作用）がなされる、という。そしてこれは、一般的な解釈としては、人間の肉体は常に新陳代謝を行なっている。古い細胞が死に、新しい細胞が生まれる。老廃物は排泄される。といった死を媒介にして新しい生命がうまれる、といったものである。しかし、木下ドラマ論においては、カタルシスというものは、価値の転換であると。つまり〈主人公の質的転換〉であり、主人公と視点を同じくする観客の質的転換をも意味する。――オイディプスは、自分を否定し、肉眼を持っていた時よりも、肉眼を失った時に、さらに広い世界を見ることが出来、かえって高い視野を獲得する。

木下ドラマ論の結論は、「発見」→「急転」→「カタルシス」という道程をたどって完結されたドラマというものは、本来観客を変えるという内容を内在的に自律的に持っていたのである、と。そして、サルトルの言葉を引用して、演劇の主題は、変える・変わるということなのだと書き記す。

木下ドラマ論における自己否定の媒介は、主人公があまりにもペシミスティックであるという批判がある。あるいは、主人公は何故破滅者となるのかという疑問が提出される。しかし、かような問題はあるとしても、最終的には、主人公が質的転換を遂げるという論理を獲得している。主人公が質的転換を遂げるということは、ドラマというものが〈変える〉という作用を持っていることである。その意味においては、「オイディプス王」もまた、紛れもなく〈能動的なドラマ〉として促えられている。

ドラマの進行においては、オイディプスはアポロンの神託に対して、受身であるとも言える。フランシス・ファーガソンが提示した「悲劇的リズム」（目的・パッション・認識）(6)の、真ん中の「パッション（受苦）」を単なる苦しみではなく、〈受難〉と受け取れば、オイディプスのドラマの中に受動的なドラマがあると言える。しかし結局は、ファーガソンもまた、〈認識〉というものの中に〈新しい認識〉という概念を入れている。とすれば、これもまた能動的なドラマ論といった方が正確だろう。

オーソドクスな演劇は、人間が〈変わる〉ということをドラマの核にしている。すなわち、それらは人間の進化を前提にしていると言える。または、ドラマが進行する時間の経過は、数量的な時間の経過ではなく、時間もまた進化している時間といえようか。ドラマは質の変化を伴う進化論が前提なのである。木下順二による「オイディプス王」のドラマ構造におけるカタルシスの概念＝質的転換は、まさしく時間の進化をあらわしている。言葉をかえて言えば、上昇志向（思考）なのである。

ロシアの劇作家アントン・チェホフの〈静的ドラマ〉作品の人物から、上昇志向が消え、ドイツの劇作家・演出家ベルトルト・ブレヒトの非劇的演劇と言われる〈叙事的演劇〉を打ち立てた頃——ブレヒトは、観客に変革を求めたが、主人公には否定的人間を形象化し、劇中人物から上界志向を消している——この二人の出現まで、ドラマとは、対立・葛藤を持った能動的なものが力を持っていたと言えよう。

木下順二もまた、ドラマとドラマトゥルギーの本質的な考察において——自己の内面においては、ドラマとは人間と人間を超える力との対立や緊張関係を描いて、最後には主人公が自己否定しなければならない、というべシミスティックなものを内包しているが——主人公が価値の転換をなすという能動的なドラマ論を見事に引き出している。

しかし、木下ドラマ論は、「オイディプス王」の終章（エクソドス）に深く触れていない。否、発見と急転とカタルシスを解き明かすことで、つまりは、クライマックスを捉えることで、十分にそのことは果たしているということなのであろうが、そしてまた、終局はオイディプスが「放浪の旅に出る」というドラマ論に都合の良い結末を作っているのだが、このことは、「オイディプス王」の描かれ方から見て、間違いとは簡単に言えない。ソポクレス自身がそのように書いていると考えられるのだから。だが、しかしである。そのソポクレスが、オイディプス王が「放浪の旅に出る」という粗筋で都合の良い結末を作らず、実は、〈長い終章〉を書いているのである。では、何故その長い終章があるのであろうか。

（4）「オイディプス王」の終章

オイディプス　——ああ、思いきや！　すべては紛うかたなく、果たされた。おお光よ、おんみを目にするのも、もはやこれまで——生まれるべからざる人から生まれ、まじわるべからざる人とまじわり、殺すべからざる人を殺したと知れた、ひとりの男が！（7）

全てが明らかになった時、オイディプスは、かように叫んで宮殿の中に走り込む。そして、〈終章（エクソドス）〉になる。館より報せの男が出て来る。イオカステがわれとわが手で亡くなったこと。それを目にしたオイディプスが〝妃の上衣を飾っていた、黄金づくりの留金を引抜くなり、高くそれをふりかざして、御自分の両の眼ふかく、真向から突き刺された〟と報せの男が報告する。ドラマは、「発見」と「急転」があり、このオイディプスの無残な姿を聞いて、観客は「哀憐と恐怖」の感情を引き起こし、そのカタルシスをなしてドラマは終焉するはずである。

しかし、再びオイディプスが登場する。フライタークが言及したように、この後「長い下りがある」のだ。そして、新関良三（演劇研究者。『ギリシャ・ローマ演劇史』など多くの著書あり）の指摘によれば「この悲劇に一つの特殊な点がある。それは、主人公が悲惨なる傷害の後にも、その痛ましい姿を舞台の上に現すことである。このような事は古代ギリシャの悲劇においては、まことに珍しい」（8）というのだ。

終章は、盲目となり血にまみれたオイディプスが登場する。その姿を見たコロス（合唱隊）の驚き――〝おお、おそろしや、見るにも耐えぬ苦難のお姿！〟――との対話があり、オイディプスが自分のなしてしまったことを言って、そして、

オイディプス ――さあたのむ、一刻も早くこのわしを、どこか人目の届かぬ遠いところへ、かくしてくれ。殺すなり、海に投げこむなりして、二度とふたたびそなたらが、わしを目にすることのないようにしてくれ。（9）

と言って、オイディプスは死ぬことも自分に許さず、両目を貫いて血だらけの無残な姿を民衆の前にさらし、自らを国外追放に処することを懇願するのだ。そして、この〈国外追放〉を懇願する言葉は、終幕まで五回も繰り返される。これは一体何を意味するのか。

次の王となる義弟クレオンが登場する。クレオンは〝身内の者の禍いはただ身内の者だけがこれを見聞きするもの〟と言ってオイディプスを館の中へ連れようとする。オイディプスは、クレオンにも一刻も早く追放を願う。クレオンは、神の指図を待つと言う。しかし、オイディプスは、神のお告げはすでに明らかにされたはず、と言って、自分が捨てられたキタイロンの山奥へ追放を願う。そしてまた、恐ろしい禍いの人生を生き続

けることを言う。クレオンの心遣いで娘に会った後、オイディプスはまたもや、クレオンにこの地よりの追放を懇願する。

オイディプス　きっとわしをこの地より、追い出してくれ。
クレオン　その願いをかなえるのは、わたしではなくデルポイの神。
オイディプス　神々ならば、いまやこの身を世の誰よりも憎みたもうておられる。
クレオン　それならば、あなたの願いは、ほどなくかなえられよう。
オイディプス　では承知してくれるのだな？
クレオン　心にないことを、口先だけで言うようなわたしではない。(10)

オイディプスの強い意志にクレオンは苛立つかに見えるが、オイディプスはクレオンが承諾したものとして、館の中に入ることを同意する。そして、コロスの斎唱で全て終わるように見える。だが、確かに、この後、長い終章がある。

「破局に陥ちた主人公は悲痛な叫び声とともに退場し、そして誰かが出て来て、その後の成り行きを物語るのが、ギリシャ悲劇における普通なる結末の作りかたである。然らば、この特殊な結末に、何か特別の意味があったのであろうかと新関良三は問いかけている。そして「〝彼は黄泉の国へ行けないからだ〟と、ノアウッドが言ったのは穿ち過ぎている……サイモンズが、〝この最後のオイディプスの登場は、これに続く戯曲がもう一つある事を暗示する〟と言うのは……「コロノスのオイディプス」を（ソポクレスが）未だ考えていなかったとすれば、当たっていない。……私（新関）は、この特異な結末の作りかたは、オイディプスの性格的表現を徹底せしめんとした技巧の余波である、と考えたい」(11)とあるが、果たして、この特異な結末の作りかたは、性格的表現のための技巧の余波であろうか。

さて、オイディプスは、第一のスフィンクスの謎を解いて、テバイの国を救った。第二の謎、ライオス殺害犯人が自分と明らかになり、そして、自分という犯人を国外追放するということは、〈疫病から再びテバイの国を救う〉ことになる。即ち、オイディプスは最初に民衆に約束したとおり、殺害犯人を見つけ出し、テバイの危機を再び救うことに結果としてなったのである。しかし、ソポクレスはなぜか、オイディプスに〝これで再びテバイの国が救える〟とも、〝テバイの国を救うために〟国外追放してくれ、ともせりふの言葉としては、一言も語らせていない。民衆をそしてテバイの国を救うために、犯人探しを始めたにもかかわらず、である。不思議である。

オイディプスの行動（目的）は、民衆を救うために、ライオス殺害の犯人を探し出すことであった。それが、いつしか自分の出生の秘密を探すものに変わって行った、という批判も成り立つ。その批判を受け入れるとしても、それは、オイディプスが眼を貫くクライマックスまでのことである。〝テバイの国を救うために国外追放してくれ〟と言わないと言ったのは、終章のことである。では、終章にテバイの国を救うという言葉が出ないのは、どういう訳であろうか。「殺害犯の糾明という側面では、疫病からの救いをテバイにもたらしたに相違ない」のに「その事実がどこにも明言されていない」し、「ソポクレスがその結果に言及していないのは、それがある意味で、もはやどうでもよいものと化してしまったことを示している」（川島重成）(12)といった指摘があるが、果して、もはやどうでもよいものと化してしまったのであろうか。

（5）受動(受容)のドラマとしての終章

オイディプスがスフィンクスの謎を解けたのは、そしてまたテバイの国を救えたのは、ヴェルナンが解析したように、オイディプスが最大の知恵者であったというのではなく、三つの世代を混同して在る、人間オイディプス自身の全存在がかかっていたためであった。ただこの時は、オイディプス自身そのことを意識していなかった。知る由もなかったのである。だが、第二の謎においては、オイディプスは、何故謎が解けたかということを十二分すぎるほどわかる。自分の全存在がかかっていたのである。オイディプスという人間は、人間を超える力によって与えられた運命を生きなければならなかった。だから、「オイディプス王」は、運命悲劇と呼ぶこともできようが、そしてまた、「真実をまともに見ることができず、それを自分のものとして受けいれるためには、自分の目をつぶさなければならない」(13)という真実逃れの見方もあるが、オイディプスが眼を貫いて自分に死ぬことも許さなかったのは、現実を見ることを恐れたのではなく、与えられた運命から逃げようとしなかったためである。自らそれを〈背負い続ける〉ことをしたのである。〈受容〉したのである。受容とは、自分に襲いかかる苛酷な対象物を、自らのうちに受け入れる（背負う）という積極的な忍耐なのである。つまり、己れの身に引き受けて行くこと、それが「オイディプス王」の終章なのである。それ故に、多くのギリシャ悲劇にはない、長い終章があるわけである。そして、オイディプスが背負い続ける行動の中にドラマが成立しているのだ。この終章に見るドラマこそ、受動（受容）のドラマなのである。オイディプスの終章の言葉の中に〝再びテバイを救う〟というせりふはなかったが、国外追放を懇願するオイディプスの言葉は、その受容のありようの上に、そのことを物語っていると理解出来る。第一の謎においては、無意識的にテバイの国を救ったが、第二の謎では、意識的なものであったのだ。たとえそれが、自分が犯人で、それ故に自分自身の救いにはならなかったものであったにもかかわらず、である。ソポクレスの「オイディプス王」は、単に能動的なドラマであるばかりではなく、受動（受容）の人間像を描いた、ドラマなのである。

（「オイディプス王」の上演において、終章が、観劇としては退屈なシーンとなることが多い。これは、オイディプスが眼を貫くクライマックスで作品解釈の視点が終わっているためと思われる。すべてが終わったエピローグとして、単なる幼い娘との涙の別れ場面になってしまうためであろう）

(6) ラストシーンのこと

オイディプスは、国外追放によってテバイの国から旅立つのではなく、クレオンに誘われて館の中へ入ってしまう。それでこの悲劇は終わってしまうのである。

オリヴァゥー・タプリンという人は、その著書の中で、「オイディプス王」についての興味ある幾つかの点を提示している。その一つはラストシーンへの言及である。「『オイディプス王』の最後の退場は私にはギリシャ悲劇の演出のなかで最も問題をはらむもののひとつであると思われる」と言っている。「この劇を流し読みしただけならば、最後にオイディプスは追放の身として去っていくのだと思い込んだとしても仕方がないかもしれない。なぜなら、すべてがそれに向けて進行してきたからである。……にもかかわらず、この悲劇は長く不吉に予感されてきた最後の旅立ちで終わるのではない。……オイディプスはかわりに館のなかに連れて行かれ、そこで神々の最終的な裁きを待つことになる」。そしてこれは、「孤独の旅立ちに向けて盛り上がってきた情緒的な高まりとは相容れない結末である」(14)という疑問を呈している。タプリンは、コリン・マクラウドという人が(タプリンが疑問を投げ掛けた)手紙の答えにくれた見解を一応評価して記している。「館に入ることに深い意味があります。オイディプスは、自分の目を潰しイオカステが首を縊ったその場所から、死や無人の荒野に向かって逃げることはできないのです。彼は、彼の宿命の場所で、屈辱を受け、罪の意識にさいなまれたままでいなければならないということなのです」(15)と。この見解は、「娘から引き離され館の中に閉じこめられることによって、彼の孤独と無力がいっそう浮き彫りにされる」(16)という解釈よりは重みがある。

ソポクレスの「オイディプス王」の終章を受容のドラマとして探究してみた。この作品については、多種多様の解釈も可能であろうし、また論及することも多々ある。が、ドラマを喪失している時代と言われる現代において、能動的ドラマ観のみではなく、受動(受容)のドラマの観点からもドラマを観る必要を感じる。「オイディプス王」は、その意味においては、典型でもあり、見本でもあり、原型でもあるだろう。

【注】

(1) ソポクレス、福田恆存訳『オイディプス王・アンティゴネ』(福田恆存の解題) 新潮文庫、一九八四年
(2) 木下順二『木下順二評論集　第七巻』(木下の「オイディプス王」あらすじ) 未来社、一九七六年
(3) フライターク、菅原太郎訳『フライターク戯曲論』 春陽堂、一九二八年
(4) ノーマン・バーリン、長田光展・堤和子・若山浩訳『悲劇・その謎』 新水社、一九八七年
(5) ソポクレス、藤沢令夫訳『オィディプス王』(解題) 岩波文庫、一九六七年
(6) フランシス・ファーガソン『演劇の理念』(山内登美雄訳) の〈悲劇のリズム〉は、その中にある。
(7) ソポクレス、藤沢令夫訳『オィディプス王』のせりふ　岩波文庫、一九六七年
(8)・(11) 新関良三『希臘羅馬演劇史　第三巻』 東京堂、一九四八年
(9)・(10) ソポクレス、藤沢令夫訳『オィディプス王』のせりふ　岩波文庫、一九六七年
(12) 川島重成『ギリシャ悲劇の人間理解』 新地書房、一九八三年〈「オイディプス王」における真理とダイモーン〉
(13)・(16)『ギリシャ悲劇全集3』(岡道雄「オイディプス王」解説)。岩波書店、一九九〇年
(14)・(15) オリヴァウー・タプリン、岩谷智・太田耕人訳『ギリシャ悲劇を上演する』 Ｌｉｂｒｏ、一九九一年

【補注】

● Ｊ・Ｐヴェルナン分析の使用は、ヴェルナン・吉田敦彦『プロメテウスとオイディプス――ギリシャ的人間観の構造――』(みすず書房、一九七八年) から。

終章　受動的主人公を見つめたドラマの終章

遠藤周作や木下順二らを中心に受動的主人公のドラマを追い求めてきた。演劇作品の主人公は、劇的行動者であることは、現代でもまだまだ、その考え方は、変わっていない。ただ、ある時期、新しい思想を求めて、多くの作家がキリスト教を受け入れ、クリスチャンになった時があった。絶対者と対峙するキリスト者的劇作家たちから、受動的と言える主人公が登場した。だからと言って、この現象が主流を占めたわけではない。これからの未来への期待だといっていいだろう。現実社会でも、受動的な人間の存在が、確かな人間存在として存在する時代を期待するからである。

なぜならば、現実では、消極的たること、弱いことは、依然不利であり、ダメな人間像に変わりはないのである。だが現在、右肩上がりの経済構造は消えて、税金だけが右肩上がりになる社会を迎えようとしている。このような時こそ、なりふり構わない右肩あがりを求める人間が渦巻くかもしれない。いや、競争の激しい時代だからこそ、ますます自分中心の行動や、社会全体を考えないで成功を求めることが多くなるだろう。

しかし、心優しい人間は、どのような時代になろうとも存在するだろう。ただ、数においては少なく、多くなる時代は来ないかもしれない。だが、繰り返しになるが、遠藤周作が造形した人間像（イエス像）を思い出さざるを得ない。遠藤周作の小説に登場する弱きイエス像を再び引用すれば、イエスは、何もできない人である。市井の人々から病気を治す奇跡をおこすことを期待されるが、病気を治すことはできない。周囲の人々は、イエスを病人の横に坐らせ、執拗にイエスに奇跡を求める。しかし、イエスができることは、病人の手を握ることぐらいであった。期待される人間が、期待されることを実現出来ないほど苦しいことはない。通常の人間ならば、恥ずかしくその場から逃げ出してしまうだろう。だが、イエスは逃げ出さず、病人の側にじっと座って朝までいる。

「私はあなたの病気を治すことはできない。……でも私は、その苦しみを一緒に背負いたい。今夜も、明日の夜も、その次の夜も……。あなたがつらい時、私はあなたの辛さを背負いたい……。」（『死海のほとり』より）

イエスは、辛い、苦しい状況を受入、背負いきる。病人は、苦しみや痛みをとってはくれないが、その場から逃げ出さず、自分の側に優しくいてくれたイエスに、病人は〈深い愛〉を感じる。

苦しみや痛みをとってはくれなかったが、イエスの愛を感じたのだ。イエスの〈受容の愛〉を感じたのである。

確かに、積極的能動的な人間が中心にならなければ世の中は、成長発展しないだろう。能力のある人は、成功の確率は高いのだ。だが一方、積極的能動的な人間が欲するものと同じものを、手際よく、スピード早く手に入れることは出来ないが、じっくりゆっくり、いささか遅れはするが、いつしかは自分の手にしっかりと掴む人間像を求めることが必要になって来るのではないか。イエスの深い愛と重なるだろう。つまりは、ダメと思われる受け入れの、受動の思想を見据えて欲しいのだ。直線的に上昇はしないが、掘り下げて、蛇行しながらも幅を広げていく「受動的態度」こそ、深い底のところで、深い愛を伴うことを、知ってほしいのである。そこには、宗教と関係しなくても、いや、宗教を離れても、存在して欲しいのである。

現在では（日本ではと言った方がよいか）、まだ、宗教に関係なく受動的な主人公を描く劇作家は生まれていないとも言える。だが、じっくり見つめて見れば、劇の主人公にも「受動的態度」を持つ人間像が、現実社会にも必要なものとして、光が当たってくるのではないか。例えば、こんにちまで、男は英雄、女性は美人、それらが劇の主人公の資格を持っていた。女が〝素敵な人〟と男に言い、男が〝美しい女だ〟と言えば、二人の愛ははぐくまれ、主人公が存在しドラマが成立する。力弱い男、美しくない女は、滑稽な会話や滑稽な仕草をする人間に追いやられ、脇役に退けられていた。だが、これらの脇役たちも、素敵な恋愛もしたいであろうし、物事を成し遂げたいとも思うであろう。これらの人間も、受難に耐える持続力があれば、いつしか成し遂げるだろう。劇作家にも、受動的態度を持つ人間に、注目してほしいのである。さすれば、受動的態度を持つ劇の主人公が出現するだろう。

ロシアのアントン・チエホフは、劇的な演劇に対して〈静的演劇〉と呼んでよい作家であると思われる。一般的には、近代劇であり、リアルな作品を書いた人と言われているが、チエホフは、アンチクライマックスの名人とも言われ、演劇作品に一番大切なクライマックス（劇的なシーン）が描かれないというのだ。例えば、「かもめ」では、ニーナがトリゴーリンと駆け落ちして、その後、二人が苦悩する、苦労するクライマックス、一番関心を持つシーンが、無いのである。通常の劇作家ならば、力を入れて書きたいところであるが、チエホフはその間は幕間（休憩中）になっていて、つまりは、〈劇的〉シーンは無いのである。

「ワーニャ伯父さん」では、クライマックスを伴った物語が、終わったところから劇がスタートするのである。また、通常のドラマでは、問題が〈解消〉に向かうラストシーンでは、チエホフでは、解消に向かうどころか、いつ明かりが見えるか見通しもなく、延々と困難な局面が続く。つまり、受難とも言えるシーンが描かれる。「かもめ」におけるニーナのラストは、トレープレフのところに帰って来たのではなく、二等の汽車に乗って、エレーツという場末に、女優というより娼婦のような接待女として行くようなものであると言うが、そこには、忍耐というものが求められるという状況を彼女は感じとっているということを苦しさの中から述べる。彼女はそれが現在の自分の情況であり、受け入れて、背負わなければならない忍耐を自分に要求するのである。ニーナは受難から逃げることなく背負い続け、生き続けるのである。生き続けなければならない自分を受け入れるのである。ここには、受動の能動が期待出来るのである。チエホフの主人公には、受動的なものが付きまとっている。しかも、主人公としての魅力があるのだ。

日本人は、チエホフが好きである。演劇人ならば、死ぬまでに一度は、チエホフ作品をやってみたいと口にする。心にあるのは、チエホフである。ただ、どこが好きなのか、定かでないかもしれない。チエホフの本当に素晴らしいところを捉えてくれれば、日本に受動のドラマが、増えるように思う。チエホフを好きな国民が、受動的演劇を好まないとは考えにくい。弱者が結果として強く生きられることをチエホフは示してくれる。

日本人で比較的早く、受動的な姿勢を作品に書いたと思われるのは、宮澤賢治ではなかったか。宮澤賢治は童話で有名だが、戯曲も書いているらしい。今回、賢治の戯曲を手にすることが出来なかったので、言及できなかったが、〈雨にも負けず、……雪にも夏の暑さにもまけぬ……みんなにデクノボウと呼ばれ……そういうものにわたしになりたい〉に表れた詩の精神は、受動的行動を如実に表している。だが、宮澤賢治はキリスト教ではないが、仏教の信者である。ここでも宗教が重なってくるので、宮澤賢治には深入りしない。

もう一つ。最初に語ったウエスカーやボルトの弱い人間に触れて、演出者の木村光一は「絶対に存在する弱者」という認識を示している。永遠に無力な弱弱しい者は、現在は、小さくなって生きるしかないであろう。しかし、これらの人間も受動の能動を獲得できれば、小さくなく生き続けることが出来るのではないか。

ただ、受動的主人公が、ドラマの主人公として観客から迎え入れられたことは、少ない。積極的、能動的、行動的な主人公が、観客に受け入れられるという歴史を歩んできている。現実社会も、しかり、である。劇の主人公は、劇的な行動者なのである。劇的でないと演劇は面白くないのだ。現実社会も、行動的でないと出世もしないし、認められもしないのだ。

戯曲は、やはり、主人公が劇的行動者であるという考えは根強くある。演劇は、アリストテレスの言葉を使うまでもなく、〈行動〉が中心だ。積極的行動のない受動的主人公では、演劇にならないのだという考えで二千数百年成り立ってきているのだ。遠藤周作が、小説は多く書いているのに、戯曲は六本で終わりにしたということは、このようなことが、原因であったであろう。それでもなお、こんにち、受動（受容）の人間を、このような考え方に立つ人間を、主人公にした演劇を望みたいのである。受動の主人公が描かれて、演劇が変わり、観客の心も変わることを希みたいのである。

筆者が複数本演出して来た〈芳地隆介〉の作品「茜色の海に消えた」に触れておきたい。一九八四年の作だが、二〇〇〇年にも再演している。

劇の世界は、人々が、なんとなく海岸に集まってくる。それぞれ関係がない人たちであり、生きる目的を確固と持っていない人たちである。そこへ〈かもめ〉ちゃんと名付けられる、美しい、裸の女が、海岸に流れ着く。だが、記憶喪失だ。しかし、なんとなく海岸に集まっていた人たちが、その少女に刺激されたかのように、いままで行動を起こさなかった人々が、動き出す。すると、なんとなく海岸に集まってくる人々を警察が放っておかなくなる。取り締まりが始まれば、その力へ対抗する人々が明確に生まれるようになる。そしてそこになんとなく、海岸に来る人に、なんとはなくでない連帯が生まれる。しかし、取り締まりは、一層強化される。それにからむように、地元のやくざが絡む。彼らは、何を狙っているか。開発と名付けた娯楽場の建設か。海岸の人々と、警察が、そして地回りとが、三つ巴になる。だが、かもめは、闘うと言いながら、いつしか姿を消す。主人公が姿を消すのである。主人公が途中で姿を消すようなことは、劇作品には、あまりない。主人公は、そのドラマを貫く人間である。芳地隆介のドラマには、主人公が姿を消すことがある。そのことによって、主人公と思っていた人が主人公ではなく、「茜色……」では、かもめでなく、海岸に集う人々が主人公なのだということが、明らかになる。だが、海岸に集う主人公たちは、かもめに支えられているのである。かもめは、行動的でなかったが、周辺の人々を行動的にしたのはかもめであった。かもめをこのような人間として見つめてみた。それ故に、かもめこそ、受動的主人公として見つめてみるのも許されると解釈したのである。

遠藤周作描く、弱きイエスの像こそ、これからますます求められてほしい人間像である。

頬を打たれれば、撃ち返すのが、普通である。右の頬を打たれて、撃ち返さず、左の頬を出す、というのは、遠藤周作のイエス像に重なる。撃ち返せば喧嘩になるが、右を打たれ、左の頬を出せば、喧嘩は発生せず、そこには、忍耐した愛が成立するのである。撃ち返せないのは、みっともなく見えるが、確かに、はじめは、いささかみっともなくても、そして社会では、他の人より遅れるということはあるが、例えば、出世が遅れるとか、だが、最終的には、自分の求めるものを手にする受動的行動者の人間像として求められるのではないか。しかし、受動的態度は、どのようにすれば、人間存在として成り立つのであろうか。簡単な獲得方法はないだろう。意識されていないであろうが、心の奥の奥で、生きる態度に光が射すことを信じる心であろう。宗教的ということは、特に考えず、受動の能動を勝ち取って欲しいのだが、勝ち取ることが出来るのは、いつのことであろうか。

とにもかくにも、どのような劇作家が、この後登場するか、不透明である。でも、遠藤周作や木下順二などの残した、遺産と言ったらよいか、宗教的ではなく、受け継いでくれる人も出てくるだろう。もう少し、アガキ、モガイテもよいのではないか。世の中の価値基準が、受動的主人公を求めてくれる状況も生まれると思うのだ。いや、今やそのような状況に進みこんでいる気がするのだ。大きな望みを持って、今後を見つめていきたい。

あとがき

新型コロナウイルスのために、すべての仕事がなくなった。ヒマである。ほとんどの時間、家に居る。時間があまるように余ったので、以前書けなかった文章でも書こうかなと思い、ヒマにあかせて書き出した。なんと、パソコンで打つ文字が増えていった。四月から四カ月かかったが、以前書いたものも交えて終了した。新型コロナウイルス状況は困ったものである。だが、新型コロナウイルス状況のお蔭で書けたとも言える。変な感じである。しかし、実際の舞台は、いつ出来るのだろうか。熱の籠った稽古がやりたいが、稽古場は三密であり、稽古では社会的距離など取れない。マスクをはずさないとセリフが言いづらい。演劇は客席を満席にしてこそ、客と客が触れ合ってこそ、密になってこそ、好い舞台が生まれる。制限された客席で、果たして、舞台が成立するだろうか。心淋しい毎日であるが、何か新しい方法を探さなければならないだろう。暗いトンネルをボツボツ歩いているようなものであるが、いつかは、明るいところへ抜け出る努力（辛抱）を持ち続けなければならないだろう。

菊川德之助

二〇二〇年十二月

■初出一覧

はじめに　これまでに語られなかった受動の主人公――書き下ろし
序　章　受動的主人公への起点――近畿大学文芸学部論集「文学・芸術・文化」第12巻1号　二〇〇〇年十二月
第一章　第二次大戦前の日本の劇作家による受動のドラマへの考察――書き下ろし
＊なお、佐野天声「切支丹ころび」、高倉輝「切支丹ころび」の項は、大山功『近代日本戯曲史』より引用。
第二章　戦後の日本の劇作家による受動のドラマへの考察――書き下ろし（＊の項を除く）
＊遠藤周作「黄金の国」の戯曲構造―受動的主人公への視点――近畿大学文芸学部論集「文学・芸術・文化」第6巻1号　一九九四年十一月
＊木下順二「子午線の祀り」―木下ドラマにおける受動的主人公――日本演劇学会「演劇学論集」37　一九九九年九月
＊木下順二「白い夜の宴」―木下ドラマにおける宗教的演劇という視点――井上理恵編集『木下順二の世界』二〇一四年二月、社会評論社
閑話休題　パトスの精神ということ―受動的主人公を描く劇作家にふれて――近畿大学大学院文芸学研究科「渾沌」第5号　二〇〇八年三月
第三章　ソポクレス「オイディプス王」の劇構造―受容のドラマとしての視点――近畿大学文芸学部論集「文学・芸術・文化」第5巻1号　一九九三年六月
終　章　受動的主人公を見つめたドラマの終章――書き下ろし

■引用戯曲 出典

アーノルド・ウェスカー「大麦入りのチキンスープ」木村光一訳――『ウェスカー三部作』晶文社、一九六四年十二月
ロバート・ボルト「花咲くチェリー」木村光一訳――「テアトロ」テアトロ社、一九六五年七月号
岩野泡鳴「焔の舌」――『岩野泡鳴全集 8巻』岩野泡鳴全集刊行会、一九九五年六月
中村吉蔵「牧師の家」――『近代日本キリスト教文学全集 12 戯曲集』教文館、一九八一年一月
木下杢太郎「和泉屋染物店」――『日本戯曲全集 現代篇9輯 41巻』春陽堂、一九二八年四月
武者小路実篤「二十八歳の耶蘇」――『日本戯曲全集 現代篇13輯 45巻』春陽堂、一九二八年十一月
久米正雄「三浦製糸工場」――『日本戯曲全集 現代篇15輯 47巻』春陽堂、一九二八年十月
芥川龍之介「暁」――『近代日本キリスト教文学全集 12 戯曲集』教文館、一九八一年一月
谷崎潤一郎「法成寺物語」――『日本戯曲全集 現代篇10輯 42巻』春陽堂、一九二八年八月
倉田百三「出家とその弟子」、「布施太子の入山」――『日本戯曲全集 現代篇12輯 44巻』春陽堂、一九二九年三月
有島武郎「死と其の前後」――『日本戯曲全集 現代篇12輯 44巻』春陽堂、一九二九年三月
有島武郎「聖餐」――『近代日本キリスト教文学全集 12 戯曲集』教文館、一九八一年一月
菊池 寛「仇討以上」、「袈裟の良人」――『日本戯曲全集 現代篇14輯 46巻』春陽堂、一九二八年三月
小山内 薫「吉利支丹信長」、「ペテスダの池」――『日本戯曲全集 現代篇8輯 40巻』春陽堂、一九二八年五月
正宗白鳥「雲の彼方へ」――『日本戯曲全集 現代篇13輯 45巻』春陽堂、一九二八年十一月
藤森成吉「何が彼女にさうさせたか」――『現代日本戯曲選集 8』白水社、一九二八年十二月
長田秀雄「澤野忠庵」――『日本戯曲全集 現代篇9輯 41巻』春陽堂、一九二八年四月

加藤道夫「天国泥棒」――『近代日本キリスト教文学全集12 戯曲集』教文館、一九八一年一月
三好十郎「その人を知らず」――『三好十郎の仕事 第三巻』学芸書林、一九六八年九月
椎名麟三「第三の証言」――「テアトロ」テアトロ社、一九六〇年十二月号
椎名麟三「生きた心を」――『椎名麟三全集11』冬樹社、一九七二年六月
田中千禾夫「マリアの首」――「新劇」白水社、一九五九年四月号
田中千禾夫「肥前風土記」――『田中千禾夫戯曲全集4』白水社、一九六〇年八月
田中澄江「がらしあ・細川夫人」――「新劇」白水社、一九五九年三月号
秋元松代「常陸坊海尊」――『かさぶた式部考・常陸坊海尊』河出書房新社、一九六九年十一月
遠藤周作「黄金の国」――「文芸」河出書房新社、一九六六年五月号
遠藤周作「薔薇の館」――新潮現代文学41『沈黙・イエスの生涯』新潮社、一九七八年九月
矢代静一「宮城野」――「悲劇喜劇」早川書房、一九六六年十二月号
矢代静一「漂流の果て」――『妖かし』河出書房新社、一九七八年二月
人見嘉久彦「津和野」――「新劇」白水社、一九六七年八月号
木下順二「子午線の祀り」――『子午線の祀り』河出書房新社、一九八六年七月
木下順二「白い夜の宴」――『木下順二集6』岩波書店、一九八八年九月
木下順二「雨と血と花と」――『木下順二集10』岩波書店、一九八八年七月
有吉佐和子「華岡青洲の妻」――『華岡青洲の妻』ぬ利彦出版、一九九〇年三月
井上ひさし「珍訳聖書」――『井上ひさし全芝居 その1』新潮社、一九八四年四月
別役実「あーぶくたった、にーたった」――「テアトロ」テアトロ社、一九七六年五月号
北村想「寿歌」――『不思議想時記』プレイガイドジャーナル（名古屋）、一九八〇年三月
芳地隆介「茜色の海に消えた」――上演台本、京自協・京都演劇教室合同公演、一九八四年十二月

ソポクレス「オイディプス王」（藤沢令夫訳）――岩波文庫『オイディプス王』一九六七年九月
アントン・チエホフ「かもめ」、「ワーニャ伯父さん」（神西清訳）――新潮文庫『かもめ・ワーニャ伯父さん』一九六七年九月

■参考文献

アリストテレス『詩学』松浦嘉一訳、岩波文庫、一九四九年六月
大山功『近代日本戯曲史　第一巻～第四巻』、近代日本戯曲史刊行会、一九六八年十月
秋庭太郎『日本新劇史　下』理想社、一九五六年十一月
永平和雄『近代戯曲の世界』東京大学出版会、一九七二年三月
武田清子『背教者の系譜』岩波新書、一九七三年六月
武田友寿『日本のキリスト者作家たち』教文館、一九七四年六月
森秀男『劇場へ』晶文社、一九七四年七月
高堂要『物・魂・ごっこ―戦後戯曲論ノート』日本YMCA同盟出版社、一九七七年五月
田中千禾夫『劇的文体論序説　上・下』白水社、一九七八年四月
佐藤泰正編『方法としての戯曲』笠間書院、一九八八年八月
遠藤周作『死海のほとり』新潮社、一九七三年六月
笠井秋生『遠藤周作論』双文社出版、一九八七年十一月
木下順二『日本が日本であるためには』文藝春秋新社、一九六五年七月
石母田正『平家物語』岩波新書、一九五七年十一月

木下順二『あの過ぎ去った日々』講談社、一九九二年十二月
丸山眞男『丸山眞男集』岩波書店、一九九六年十一月
新藤 謙『木下順二の世界』東放出版、一九九八年十二月
田中單之『三好十郎論』菁柿社、一九五五年一月
石澤秀二『祈りの架け橋―評伝田中千禾夫』白水社、二〇〇四年八月
相馬庸郎『秋元松代―稀有な怨念の劇作家』勉誠出版、二〇〇四年八月
佐野天声『現代日本戯曲選集2』（「大農」）白水社、一九五五年七月
ヴェルナン『プロメテウスとオイディプス―ギリシャ的人間観の構造―』吉田敦彦訳、みすず書房、一九七八年
ソポクレス『オイディプス王・アンティゴネ』福田恒存訳、新潮文庫、一九八四年九月
宮澤賢治『ザ・賢治』第三書館、一九八五年三月

■著者紹介

菊川徳之助（きくかわ・とくのすけ）

一九四〇年京都生まれ。「新派喜劇」と名乗る大衆演劇の座長であった父（実は祖父）の影響で子供の頃から演劇に親しむ。同志社大学の演劇部に所属して、卒業後は劇団の養成所で訓練を受ける。仲間たちと劇団を創立するが、五年で解散。

実践から遠ざかり、ミニコミ誌や雑誌「新劇」、「京都新聞」などで劇評家として動く。一九八〇年「京都演劇教室」の企画メンバーとなり、演技実習指導にあたる。一九八六年講座生と「創造集団アノニム」を創設。一九八九年（平成元年）から近畿大学の演劇芸能専攻設立時に教員、二十年間勤務後二〇〇九年三月教授を定年退職。

これまでに所属した劇団関係は、同志社第三劇場、関西芸術座研究所、関西青年劇場、演劇研究センターひろば／非常勤講師をつとめた大学は、京都精華大学、京都芸術短期大学、大阪教育大学、立命館大学、同志社大学／その他日本演劇学会・理事・副会長・紀要編集委員長・河竹賞選考委員／日本演出者協会理事・関西ブロック長／大阪演劇祭実行委員長、Ｋｙｏｔｏ演劇フェスティバル実行委員長、オレンジ演劇祭審査員、キャビン戯曲賞審査員を歴任／劇評・演劇通信、京都新聞、「新劇」、「社会評論」、「演劇会議」、「ａｃｔ」、「シアターアーツ」等に執筆。

現在、関西朗読コンテスト審査委員長。古典の日記念朗読コンテスト審査委員長。西日本劇作の会会長。東大阪中学・高校ワークショップ実行委員長。創造集団アノニムおよび地元劇団「シアター生駒」で演出・俳優。国際演劇評論家協会名誉会員。日本演劇学会会友。日本演出者協会会員。

【主な演出】▼「セチュアンの善人」（ベルトルト・ブレヒト作）自立劇団合同公演、一九八六年。▼「夢・桃中軒牛衛門の」（宮本研作）自立劇団合同公演、一九九二年。▼「鳥たちの舞うとき」（高木仁三郎原作・菊川脚本）福知山市民演劇、二〇一一年。▼「神聖な焔」（サマセット・モーム作）京都西陣創造集団アノニム、二〇一八年。

【主な出演作品・役】▼「恋愛論」（アムリン・アリョーシン作）ナイスミドル劇場、老弁護士役、一九九一年。▼「記者と事件」（アムリン・グレイ作）ナイスミドル劇場、事件役（一人二十役）、一九九四年。▼「公園物語」（芳地隆介作）京都西陣創造集団アノニム、お巡りさん役、一九九六年

【主な著書】▼『実践的演劇の世界』一九九八年、昭和堂▼『関西戦後新劇史』（編集代表）二〇一八年、晩成書房▼「初期作品に秘められたもの」：『革命伝説・宮本研の劇世界』（共著）二〇一七年、社会評論社▼「演出家のある視点—「出発」の作劇術」：『つかこうへいの世界』（共著）二〇一九年、社会評論社

以上

受動の主人公は、可能か？
これまで語られなかった劇の主人公

二〇二一年四月五日　第一刷印刷
二〇二一年四月一五日　第一刷発行

著者　菊川德之助
発行者　水野久
発行所　株式会社　晩成書房
●101-0064 東京都千代田区神田猿楽町二―一―一六
●電話　〇三―三二九三―八三四八
●FAX　〇三―三二九三―八三四九
印刷・製本　株式会社　ミツワ

ISBN978-4-89380-502-7 C0074
Printed in Japan

関西戦後新劇史 1945年～1969年

一般社団法人 日本演出者協会 企画
日本演出者協会関西ブロック 編集●定価3000円＋税

東京圏とは異なる歴史を歩んだ関西新劇の戦後の歩み。敗戦直後から一九七〇年代初頭までの三十年間の記録。

敗戦直後アマチュア学生演劇人の活躍から始まり、一九五七年「関西芸術座」に結集するまでの約十年間の劇団・演劇人の姿を追う第一部。

第二部では、一九五八～一九六九年の劇団上演記録を年月順、地域別に掲載。六〇年代末までの劇団のありよう、新劇状況を示す。

附属資料で一九七三年までの劇団活動資料を補足。関西新劇作家の主要作品リスト、上演劇場リスト、劇団活動一覧年表を掲載。

戦前の関西新劇を記した大著『関西新劇史』(東方出版、一九九一年)の著者・大岡欽治から、戦後篇を託された演出家・道井直次(関西芸術座)がライフワークとして個人随筆誌に書き残した「戦後関西新劇私史」(未完)の主要部分を、附属資料に収載。

関西小劇場30年の熱闘 ～演劇は何のためにあるのか～

九鬼葉子 著●定価3000円＋税

関西小劇場を、その黎明から全貌する比類ない貴重な通史。

関西小劇場の舞台となったオレンジルーム、ピッコロシアター、扇町ミュージアムスクエア、アートスペース無門館、アイホール等々の特色ある小劇場。

その舞台を彩った、維新派、犯罪友の会、ダムタイプ、南河内万歳一座、劇団☆新感線、M.O.P.、太陽族、MONO、桃園会等々の個性的な劇団。

関西現代演劇の伴走者を自認する著者が、綿密な取材としなやかな感性で描く、熱く激しい、関西小劇場の過去から現在、そして未来――。

「轟音の残響」から ―震災・原発と演劇―

国際演劇評論家協会（AICT）日本センター
新野守広・西堂行人・高橋豊・藤原央登 編●定価2800円＋税

二〇一一年三月十一日、東日本大震災・原発事故直後から、
多くの演劇人が自分が「演劇人であること」とあらためて向き合い、多様な活動を展開した。

当時の生々しい発言記録、震災後に生まれた作品の評論などを集成し、演劇人の「闘い」の現在を示す、貴重な記録的評論集。

危機的な状況に向かいあうことで浮かび上がる、演劇という芸術活動・表現の根源への問いかけ。

その問いに向き合い続ける演劇人たちの活動の五年間、そして現在。

石川裕人・作『方丈の海』（OCT／PASS上演・二〇一二年）収載

東の風が吹くとき 原発事故三部作

高木 達 戯曲集 著●定価2200円＋税

地元・福島の実感に根ざしたドキュメント・ドラマ。

福島・いわき市在住の作者が十年の歳月をかけて書き上げた注目の三部作。

地元の言葉と生活実感に根ざした、劇でつづる福島と原発をめぐる年代記。

いわき公演・東京公演で注目を集めた二作「東の風が吹くとき」（二〇一三年）、「愛と死を抱きしめて」」（二〇一五年）と、
コロナ禍で未上演の新作「でんでら野仮設診療所日記」（二〇二〇年）を収載。

「この作者はつねに闇の中の光として、生命の力を見いだそうとする。

暗部をえぐることが郷土への讃歌へと転じるのだ。この三部作の魅力はそこにある。」（内田洋一「解説」より）